A CABEÇA DO BRASILEIRO

Iza Heráclito

A CABEÇA DO BRASILEIRO

ALBERTO CARLOS ALMEIDA

Com a colaboração de Clifford Young

8ª edição

EDITORA RECORD
RIO DE JANEIRO • SÃO PAULO
2015

CIP-BRASIL. CATALOGAÇÃO-NA-FONTE
SINDICATO NACIONAL DOS EDITORES DE LIVROS, RJ

A445c Almeida, Alberto Carlos
8ª ed. A cabeça do brasileiro / Alberto Carlos Almeida. – Rio de Janeiro : Record, 8ª ed., 2015.
Inclui bibliografia
ISBN 978-85-01-07901-5

1. Características nacionais brasileiras. 2. Brasil – Usos e costumes. 3. Opinião pública – Pesquisa – Brasil. I. Título.

07-1380. CDD: 981
CDU: 94(81)

Projeto gráfico de miolo: ô de casa
Capa: Diana Cordeiro
Foto de capa: Folhapress

Direitos exclusivos desta edição reservados pela
EDITORA RECORD LTDA.
Rua Argentina, 171 – 20921-380 – Rio de Janeiro, RJ – Tel.: 2585-2000

Impresso no Brasil

ISBN 978-85-01-07901-5

Impresso no Brasil
2015

Este livro é dedicado a

Roberto DaMatta: muitas de suas teorias antropológicas foram testadas pela metodologia quantitativa;

Wanderley Guilherme dos Santos, que se entusiasmou com o conteúdo da Pesquisa Social Brasileira (PESB) e possibilitou a publicação de todos os capítulos deste livro em forma de artigos na revista *Inteligência-Insight*;

Luís César Faro, também entusiasta da PESB e que levou estes textos a serem publicados na revista citada;

Edward Telles, Jorge Balan e Ondina Leal; sem eles não haveria PESB;

Firmino Marsico Filho (*in memorian*), pró-reitor de extensão da UFF que apoiou o DataUff, instituição que levou a cabo a realização da PESB;

E, ainda, a alguém que chegou ao mundo em julho de 2007: Guilherme Schroeder de Almeida, nosso terceiro filho. Provavelmente o menino terá escolaridade alta e vai crescer em uma grande cidade brasileira. Por que isso? Para atiçar a curiosidade do leitor: a ideologia que o Guilherme vai ter quando for adulto já está prevista neste livro, independentemente do que os pais venham a querer para ele.

agradecimentos

Antes de tudo, devo uma explicação a respeito da colaboração de Clifford Young. Fizemos juntos praticamente todas as perguntas da Pesquisa Social Brasileira (PESB), empreendida pelo DATAUFF, da Universidade Federal Fluminense. Clifford trouxe para o Brasil a experiência acumulada em *surveys* acadêmicos na Universidade de Chicago, especificamente no National Opinion Research Center (NORC). Sem a experiência e os *insights* de Clifford dificilmente teríamos resultados tão originais e criativos acerca da sociedade brasileira. Ele se envolveu em todas as etapas da pesquisa e, do ponto de vista analítico, teve uma participação crucial nos módulos sobre relações raciais e sobre o papel do Estado na economia.

O primeiro e mais importante agradecimento vai para o meu grande parceiro profissional nos anos 1990, e início do século XXI, nessa desafiante empreitada da pesquisa de opinião, Zairo B. Cheibub. Profissional sério, confiável, de alta competência analítica. Sem ele a PESB não teria acontecido.

A pesquisa só foi possível por causa do financiamento da Fundação Ford. Acreditaram neste projeto Edward Telles, Jorge Balan e Ondina Leal. A eles o agradecimento e o reconhecimento da contribuição para a melhor compreensão do Brasil.

Na UFF, Aydil e Firmino, pró-reitores de extensão em diferentes momentos, foram pessoas-chave para viabilizar a PESB tanto do ponto de vista institucional quanto burocrático.

Um agradecimento muito especial a todos aqueles, professores e não-professores, que coordenaram com muita dedicação o trabalho de campo da PESB. Vários deles atuaram tanto em seus estados quanto em estados adjacentes. Sem sua alta qualificação técnica e entusiasmo a pesquisa não teria alcançado os resultados que teve. São eles: Andréia Schroeder e Denise Lopes (UFF-RJ), Elis Radmann (IPO-RS), Márcio de Oliveira, Eliane Budel e Ana Luisa Fayet Sallas

(UFPR), Fábio Faversani (UFOP-MG), Jaqueline Costa (SP), Gabriela Tarouco (UESC-BA), José Spinelli (UFRN), Rejane Carvalho (UFCE), Ilma Vieira do Nascimento (UFMA), Evelina Antunes de Araújo (UFAL), Denise Paiva e Marta Rovery (UFG), Jaime Roy Doxsey e Maria Ângela Rosa Soares (UFES). Em 2002 foi realizado um seminário internacional para ajudar na elaboração da Pesquisa Social Brasileira. Gostaria de agradecer a todos os que estiveram presentes nesse seminário: Cícero Mauro Fialho Rodrigues (Reitor da UFF), Firmino Marsico Filho (*in memoriam*, Pró-Reitor de Extensão da UFF), Jorge Balan (Fundação Ford, New York), Rachel Meneguello, Amaury de Souza, Örjan Olsén, Carlos Matheus, Gláucio Soares, Thomas Smith (National Opinion Research Center – NORC, University of Chicago), Marta Lagos (Market Opinion Research International – MORI, Chile), Nelson do Vale Silva, Solange Simões, Roger Jowell (National Centre for Social Research, Inglaterra), Pedro Luis do Nascimento Silva (IBGE), Clifford Young, Marcus Figueiredo, Jairo Nicolau, Richard Locke (Massachusetts Institute of Technology, MIT), Elisa Reis, e Reginaldo Prandi.

O banco de dados da PESB é público e está depositado na USP sob os auspícios do professor Brasílio Sallum Junior, no Consórcio de Informações Sociais (CIS) – www.nadd.prp.usp.br/cis

sumário

"João Ninguém
Não tem ideal na vida
Além de casa e comida
Tem seus amores também

Esse João nunca se expôs ao perigo
Nunca teve um inimigo
Nunca teve opinião"
"João Ninguém", de Noel Rosa

"Isso aqui, ô, ô
é um pouquinho de Brasil, ia iá
Desse Brasil que canta e é feliz, feliz, feliz,
é também um pouco de uma raça
Que não tem medo de fumaça, ai, ai
E não se entrega não"
"Isso aqui o que é", de Ari Barroso

apresentação

Um teste quantitativo da antropologia de Roberto DaMatta

Roberto DaMatta está para o Brasil assim como Alexis de Tocqueville para os Estados Unidos. Com um modelo analítico simples e inteligente, o pensador francês Alexis de Tocqueville mostrou a grande diferença entre a sociedade norte-americana e a francesa. Na sua amada França, caracterizada por relações sociais aristocráticas, os homens pouco se assemelhavam nos hábitos, na forma de se comportar ou de se vestir, conforme o lugar que ocupavam na pirâmide social. Segundo Tocqueville, os franceses se diferenciavam pela aparência, pela maneira de falar e por vários outros elementos da simbologia social. Isso não acontecia na América.

É clássica a passagem de Tocqueville em que ele compara o uso de pronomes de tratamento nos Estados Unidos e na Inglaterra. Na América, ainda hoje, é comum o emprego de "você" nas relações cotidianas. As pessoas se vêem como iguais e não há motivo para usarem de maneira seletiva diferentes formas de tratamento. Não é o que ocorre em países de matriz aristocrática, como a Inglaterra. Nesses países, dependendo do interlocutor, pode-se utilizar o "você" ou um pronome cerimonioso, se for o caso. A desigualdade, nos Estados Unidos, é transitória, definida por contratos, como o que institui a relação entre patrão e empregado. Nos países europeus, a desigualdade entre os homens vai além das relações contratuais; está presente em todas as relações sociais.

Isso levou Tocqueville a afirmar que a sociedade norte-americana é ao mesmo tempo agitada e entediante. É agitada porque todos os homens estão em constante movimento em busca de mais bem-estar. Mas é entediante porque, apesar desse movimento incessante, ela é toda muito parecida: todos são iguais, tendem a aspirar e buscar as mesmas coisas. Nas sociedades aristocráticas, dá-se o oposto. Há pouca agitação, e quando ela ocorre, é bem diferente: aqueles que pertencem a grupos sociais mais elevados se movimentam para obter coisas completamente diferentes das almejadas pelas pessoas de posições sociais mais baixas.

Ao se inspirar no pensador francês para analisar a sociedade brasileira, Roberto DaMatta, o Tocqueville brasileiro, estabelece uma diferença: Tocqueville mostrou que a América era uma sociedade democrática, igualitária, ao passo que DaMatta vai ao extremo oposto ao identificar no Brasil uma sociedade hierárquica. Não é por acaso que a chave analítica de DaMatta – igualdade *versus* hierarquia – encontra na comparação entre Brasil e Estados Unidos sua principal fundamentação empírica.

Há dois livros centrais na obra de DaMatta: *Carnavais, malandros e heróis* e *A casa & a rua*. Em ambos, o antropólogo interpreta as relações sociais no Brasil: um país hierárquico, no qual a posição e a origem social são fundamentais para definir o que se pode e o que não se pode fazer; para saber se a pessoa está acima da lei ou se terá de cumpri-la. É assim que a herança escravista se manifesta no Brasil: os brasileiros lidam mal com a igualdade.

DaMatta imortalizou a expressão "você sabe com quem está falando?" como o símbolo maior do caráter hierárquico de nossa sociedade. Alguns brasileiros – em situações nas quais o tratamento igualitário se torna intolerável – fazem e respondem essa pergunta. Torna possível estacionar em local proibido, furar a fila em repartições públicas, receber algum tipo de benefício da lei ou ser exceção a uma regra geral. Muitas vezes isso ocorre de maneira sutil, sem a frase, mas com o conceito que ela expressa. Até mesmo o autor deste texto se utilizou dessa pergunta, em 2003, no Rio de Janeiro, para escapar a uma norma. Eu conhecia um político importante, cujo escritório ficava ao lado de um estacionamento. Abordado pelo guardador, que tentava me impedir de estacionar em determinado lugar, fiz a pergunta: "Você sabe com quem está falando? Eu sou amigo e conheço bem o político fulano." Estacionei onde queria.

No Brasil, a mentalidade hierárquica predomina. Uma situação semelhante, em um país igualitário, seria resolvida, segundo DaMatta, com a réplica: "Quem você pensa que é?" Quem você acha que é para poder estacionar neste lugar. Ninguém é mais especial do que ninguém e, por isso, a lei é geral e impessoal, aplica-se igualmente a todos. Uma conseqüência de grande importância da mentalidade hierárquica é que ela mina o respeito às leis e às normas, que deixam de ser cumpridas por diversas razões. Seja porque se trata de alguém importante – um juiz, um político ou um desembargador – seja porque se é íntimo de alguém importante, ou mesmo porque é possível, por meio de uma boa conversa, persuadir os demais de que se deve ser tratado como exceção. É o "jeitinho brasileiro".

Em geral, a técnica do jeitinho brasileiro – estudada em profundidade por Lívia Barbosa em sua tese de doutorado no Museu Nacional (UFRJ), orientada por DaMatta – exige que se "chore miséria". Aquele que pede que seja aberta uma exceção à regra apresenta os fatos de sua vida que comprovam as dificuldades por que passa. Assim, no sistema de fotocópias instalado nas universidades brasileiras, nos quais é possível tirar cópias de livros inteiros, os estudantes que argumentam que enfrentam dificuldades conseguem, na maioria das vezes, passar na frente da fila.

É difícil encontrar um brasileiro que não conheça o jeitinho ou que não tenha estado em um dos lados da situação: ou se utilizando dele em benefício próprio ou provendo benefício a outra pessoa. Mais uma vez, o autor deste texto não é exceção. Também em 2003, no Rio de Janeiro, fui parado por dois policiais de moto enquanto dirigia meu carro falando ao celular – o que é proibido no Brasil. Os policiais disseram que iam me multar. Minha reação foi simples: debrucei-me no volante, abaixei a cabeça e disse: "Diante de todos os problemas que enfrento, a multa é o menor de todos. Sei que estou errado e por isso tenho que pagar. Pode multar." Depois de algumas idas e vindas na conversa, a técnica funcionou: saí da situação sem ter sido multado...

Pode ser o jeitinho, pode ser o "você sabe com quem está falando?", a vítima é sempre o tratamento geral e impessoal. As vítimas são a lei e a norma. Não por acaso, DaMatta compara o Brasil com os Estados Unidos. É possível ter uma sociedade realmente liberal em que os homens se concebem como desiguais? As leis, o sistema judiciário e a ética anglo-saxã importada consagram o império da lei. A forma pela qual os brasileiros são socializados consagra a desigualdade e as técnicas para burlar a lei. E esse, segundo DaMatta, é um dos grandes dilemas do país.

Que implicações isso tem para a democracia? Não a democracia segundo Tocqueville – sinônimo de condições sociais igualitárias; mas a democracia política da qual o Brasil em 2006 completou a maioridade de 21 anos. Não há dúvidas de que o país é democrático, de que a competição política é hoje um dado real. A pergunta é: a democracia brasileira perde em qualidade por causa de relações sociais hierárquicas?

A resposta é "sim". Ela antecipa um dos mais importantes achados deste estudo. A qualidade da democracia aumenta quando a população é mais escolarizada. Mais do que isso, a democracia só é possível em sociedades com níveis mais elevados de escolarização. Robert Dahl imortalizou esse argumento. A poliarquia de Dahl apresenta correlação com o desenvolvimento socioeconômico. Uma população formalmente mais educada resulta em mais desenvolvimento econômico e maior pluralismo. Criam-se diferentes fontes de poder e de interesse. É mais difícil manter um governo autocrático em sociedades plurais. A educação tem um forte impacto na sociedade, que, por sua vez, influencia enormemente a política.

O aumento da escolaridade está relacionado ao que Karl Mannheim denominou "democratização fundamental da sociedade". A face perversa da urbanização, retirando dos homens seu pertencimento rural, resulta, no médio prazo, na perda de importância relativa dos laços familiares e comunitários. A religião se enfraquece. A autoridade superior perde força. As pessoas, mais esclarecidas, tornam-se mais céticas.

Vários achados, antigos e recentes, reforçam a afirmativa que associa educação e democracia. Robert Putnam mostrou, em um estudo seminal sobre a Itália, que no norte há – digamos – mais democracia do que no sul. Os governos regionais do norte da Itália atendem mais as demandas da sociedade do que os do sul. Isso tem a ver com a cultura cívica, segundo Putnam. Mas também não é coincidência o fato de o norte apresentar escolaridade média mais elevada do que o sul.

Em estudo recente baseado em uma notável pesquisa empírica, Ronald Inglehart demonstrou, juntamente com Christian Welzel, que mais riqueza e mais educação levam as pessoas a rejeitar a autoridade superior e a buscar formas de "auto-expressão". Pessoas mais educadas tendem a se afastar da autoridade superior e a rejeitar as relações sociais verticais em benefício de relações de poder mais horizontais.

No fundo, todos são, em alguma medida, tributários de Tocqueville. DaMatta é o Tocqueville brasileiro. Robert Putnam utiliza critérios tocquevillianos para mensurar a comunidade cívica, para não falar do próprio conceito de comunidade cívica, uma noção que Putnam reconhece estar enraizada na obra do pensador francês. Tal como Tocqueville, Inglehart e Welzel enfatizam as mudanças de visão de mundo, que deixam de ser hierárquicas e se tornam mais igualitárias. O que estamos fazendo é sociologia política: mostrando que a sociedade, sua percepção das relações entre as pessoas, molda em grande medida o universo da política.

As instituições são importantes; é extensa e bem fundamentada a literatura que demonstra isso. Porém, a sociedade não é menos importante. Nela, as percepções e opiniões dos homens, suas crenças e – para utilizar uma palavra supostamente ultrapassada – sua ideologia ajudam muito na compreensão do funcionamento da democracia.

Assim, se é verdade que a democracia, do ponto de vista institucional, está consolidada no Brasil, é igualmente verdade que suas bases sociais já estão presentes. Há uma população com escolarização suficientemente elevada para levá-la a defender pontos de vista "modernos". Mas ainda é grande a parcela da população que compartilha uma visão de mundo "arcaica". Todavia, como a escolaridade está aumentando, pode-se esperar que no futuro haja mais "modernos" do que "arcaicos". Trata-se de um processo irreversível. (Peço perdão pelo uso dos termos "moderno" e "arcaico". Eles são utilizados aqui somente para descrever dois tipos ideais, duas formas de ver o mundo.)

Para mostrar de forma inequívoca essas duas visões, a Pesquisa Social Brasileira fez 2.363 entrevistas, entre 18 de julho e 5 de outubro de 2002. Na elaboração da amostra, foram utilizados os dados da contagem de 1996 do IBGE e a divisão político-administrativa brasileira (cinco regiões, 26 estados mais o Distrito Federal e 5.507 municípios). A partir daí, foram sorteados 102 municípios e, desses, 27 foram considerados auto-representativos (as capitais dos estados) e 75 não auto-representativos.

A amostra foi probabilística, com três estágios de seleção e representativa das cinco regiões. Para reduzir custos, todos os municípios com até 20.000 habitantes das regiões Norte e Centro-Oeste foram excluídos, o que significou que o equivalente a 3,1% da população ficou de fora da população amostrada.

Tabela 1

Resultado da PESB: o perfil de escolaridade da população brasileira

	Freqüência	Percentual*
Analfabeto	208	9
Até a 4ª série	599	25
Da 5ª à 8ª série	536	23
Ensino médio	735	31
Superior ou mais	286	12
Total	2.363	100

A PESB tratou daquilo que a literatura denomina *core values*. Esses valores são os alicerces das demais crenças sociais. Cada criança tende a ser socializada dentro dos *core values* da sociedade a que pertence. Assim, espera-se que eles mudem pouco, e apenas à medida que gerações mais jovens substituem as mais velhas. É o que de fato acontece. Fica muito claro, por exemplo, que os *core values* associados à sexualidade têm grande relação com a idade. Comparados aos mais jovens, os velhos são extremamente conservadores no assunto.

Sabe-se que, no Brasil, a virgindade das meninas, por exemplo, era um valor importante até, certamente, os anos 1970. Hoje, acontece o inverso. A adolescente virgem tende a ser estigmatizada pelas colegas. Modificou-se, de maneira muito veloz, um *core value* da sociedade brasileira. Em outras áreas, como ficará claro, também acontecem mudanças, mas de uma forma muito mais lenta, porque a escolarização, que é o fator-chave para isso, tem aumentado de maneira

*A maior parte das somas dos percentuais das tabelas apresentadas ao longo do livro totaliza 100%. Há, contudo, somas que totalizam 99 ou 101%. Isso é algo normal em pesquisas de opinião. É efeito do arredondamento das casas decimais e não interfere, de modo algum, na interpretação dos resultados. Há ainda determinadas somas que ficam alguns pontos percentuais abaixo de 99%. Quando isso acontece, é devido à eliminação do percentual daqueles que afirmaram que não sabiam ou não queriam responder àquela pergunta.

extremamente vagarosa. A PESB mediu os *core values* dos brasileiros em diversos aspectos relevantes.

Mais do que mensurar *core values*, o que se fez nessa pesquisa foi medir o Brasil com os conceitos compreendidos pelo Brasil. Nada contra o esforço globalizado de traduzir, para inúmeros países, os questionários de *surveys* elaborados em nações anglo-saxãs, como Estados Unidos ou Grã-Bretanha. Aqui se fez o oposto. Elaborou-se um questionário de pesquisa baseado, em grande medida, na obra de DaMatta e de seus seguidores. Como se traduz para o inglês "jeitinho"? É possível, em um questionário aplicado na França ou na Alemanha, falar que os empregados utilizam o elevador de serviço e não o elevador social? É possível traduzir esse conceito? Provavelmente, não.

Em muitos aspectos, o questionário da PESB não pode ser traduzido. Isso é especialmente relevante pelo fato de a pesquisa haver sido formulada para mensurar o Brasil de acordo com os termos compreendidos e utilizados pelos brasileiros. Volto a enfatizar, isso foi feito pela primeira vez e não teria sido possível sem a contribuição de Roberto DaMatta.

Core values, Roberto DaMatta, Tocqueville, o Brasil por ele mesmo, jeitinho, sociedade hierárquica, tudo isso combinado serviu para demonstrar que o país está em transformação e que ela depende das salas de aula. O avião decolou e está em velocidade de cruzeiro. A velocidade pode aumentar, mas o vôo não sofrerá uma pane. O Brasil continua em sua trajetória de ampliar a educação formal. Portanto, segue rumo a uma mentalidade mais moderna. Ponto para a democracia.

A grande dificuldade do país, hoje, é que, se a mentalidade democrática é inevitável, a grande massa da população de escolaridade baixa não expressa os valores democráticos e igualitários, identificados por Inglehart e Welzel. O futuro é promissor, mas o presente traz grandes desafios.

introdução

Os dois Brasis: a luta entre o arcaico e o moderno

A Pesquisa Social Brasileira mostrou que Roberto DaMatta está certo em muitas de suas afirmações: o Brasil é hierárquico, familista, patrimonialista e se encaixa em vários outros adjetivos que significam arcaísmo, atraso. Um dos cientistas sociais mais lidos e citados no Brasil, suas interpretações, como um espelho, ajudam os brasileiros a enxergar, a tomar consciência de como são. Porém, há uma ressalva importante a fazer. O país não é um bloco monolítico, mas uma sociedade profundamente dividida.

O Brasil, na verdade, são dois países muito distintos em mentalidade. Dois países separados, num verdadeiro *apartheid* cultural. Os dois países de que fala Jacques Lambert, retratados nessa pesquisa de forma um tanto diferente. O que está em jogo são valores em conflito, e, por conseguinte, uma sociedade em conflito. Enquanto a classe baixa defende valores que tendem lentamente a morrer ou a se enfraquecer, a classe alta mantém-se alinhada a muitos dos princípios sociais dominantes nos países já desenvolvidos.

Não há um lado certo e outro errado. Há, sim, um lado dominante em lenta erosão – o das classes baixas –, e outro ainda pouco presente, mas que tende a se fortalecer à medida que a escolaridade média da população aumentar. Sim, porque entre os fatores que determinam esse abismo entre brasileiros, um dos mais importantes é a escolaridade. É a educação que comanda a mentalidade. Quem passou pelos bancos escolares de uma universidade e obteve diploma tende a ser uma pessoa moderna: impessoal; contra o jeitinho brasileiro;* contra punições ilegais, como linchamentos e o estupro, na cadeia, de criminosos condenados pelo mesmo crime; refratária à crença de que o destino está completamente nas mãos de Deus; e a favor de confiar mais nos amigos.

*Deve-se considerar sempre que o jeitinho é uma prática muito disseminada no Brasil. Todos o praticam, independentemente da classe social ou da escolaridade. Porém, aqueles de escolaridade mais elevada serão sempre mais contrários à prática do jeitinho do que as pessoas de escolaridade mais baixa.

Por outro lado, é provável que alguém que não tenha tido a mesma oportunidade de obter o diploma de um curso superior pense essas mesmas questões segundo uma ótica diversa, pré-moderna ou arcaica: personalista; a favor do jeitinho brasileiro e do cumprimento da lei de Talião, aquela que faz valer o "olho por olho, dente por dente"; e que defenda a crença de que o destino dos homens está nas mãos de Deus.

Esse abismo pode tornar-se ainda maior se ao fato de ter ou não ter ensino superior somarmos outras variantes: tratar-se de homem, jovem, residente da capital de um estado da região Sul ou Sudeste. Especialmente se, do outro lado, estiver alguém que sequer tenha completado o nível fundamental da educação formal, se for do sexo feminino, de maior faixa etária e residente em alguma cidade que não seja capital, situada na região Nordeste. Nesse quadro, possivelmente a distância entre modernidade e arcaísmo será imensa.

No entanto, como a maior parte da população brasileira tem escolaridade baixa, pode-se afirmar que o Brasil é arcaico. Assim, a mentalidade de grande parte de sua população obedecerá às seguintes características:

- apóia o "jeitinho brasileiro";
- é hierárquico;
- é patrimonialista;
- é fatalista;
- não confia nos amigos;
- não tem espírito público;
- defende a "lei de Talião";
- é contra o liberalismo sexual;
- é a favor de mais intervenção do Estado na economia;
- é a favor da censura;

Óbvio, não?

Não. Não tão óbvio assim. Trata-se de probabilidades que valem para um amplo leque de questões. De sexo à corrupção, passando por uma crença fatalista no destino, é bem provável que alguém com curso superior completo seja a favor de práticas sexuais variadas, ou de sexo entre pessoas do mesmo gênero, e se escandalize quando denúncias de corrupção de políticos, muitas delas comprovadas, são "esquecidas" pela população que acaba reelegendo os denunciados.

O contrário também é verdadeiro. Para a população de baixa escolaridade, que apóia a quebra de regras patrocinada pelo "jeitinho brasileiro", há também uma tendência em mostrar-se tolerante com a corrupção. Para muitas dessas pessoas, não há "esquecimento" das denúncias; elas simplesmente não são importantes. Da mesma forma, também é grande a probabilidade de encontrarmos nesse grupo opiniões contrárias a quaisquer variações do ato sexual, limitado ao sexo genital entre um homem e uma mulher.

É essa a conclusão que se pode tirar das diversas tabelas elaboradas a partir dos questionários aplicados pela Pesquisa Social Brasileira. Elas retratam a enorme distância que separa – em termos de visão de mundo, mentalidade, cultura – os dois grupos sociais em que nós, brasileiros, nos dividimos. Somos diferentes em tudo. E o quadro a seguir revela essa gigantesca distância.

Quadro 1

Os dois extremos da mentalidade

Superior completo	Não completou o ensino médio
Homem, jovem, morador da região Sudeste ou Sul e de uma capital de estado	Mulher, idosa, moradora da região Nordeste e de uma cidade que não é capital de estado
• Contra o "jeitinho brasileiro"	• A favor do "jeitinho brasileiro"
• Contra o "você sabe com quem está falando?"	• A favor do "você sabe com quem está falando?"
• Contra tratar a coisa pública como se fosse algo particular, de cada um	• A favor de tratar a coisa pública como se fosse algo particular, de cada um
• Antifatalista, tende a não acreditar ou dar pouca importância ao destino	• Fatalista, tende a acreditar ou dar muita importância ao destino
• Confia mais nos amigos	• Confia menos nos amigos
• A favor de que as pessoas colaborem com o governo no zelo pelo espaço público	• Contra o fato de as pessoas colaborarem com o governo no zelo pelo espaço público
• Contra a "lei de Talião": olho por olho, dente por dente	• A favor da "lei de Talião": olho por olho, dente por dente
• A favor de comportamentos sexuais diversificados	• Contra comportamentos sexuais diversificados
• Contra a intervenção do Estado na economia	• A favor da intervenção do Estado na economia
• Contra a censura	• A favor da censura

Tabela 1*

O jeitinho é certo ou errado?

	Certo	Errado
Analfabeto	57	43
Até a 4ª série	51	49
Da 5ª à 8ª série	58	42
Ensino médio	48	52
Superior ou mais	33	67

Tabela 2

As pessoas de escolaridade mais alta tendem a ser menos hierárquicas do que as de escolaridade mais baixa

	Atitude que a empregada doméstica deveria ter se a patroa diz que ela pode assistir televisão na sala junto com ela		Atitude que os empregados de um prédio deveriam ter se os moradores dizem que eles podem usar o elevador social		Atitude que o empregado deveria ter se o patrão lhe diz que pode ser tratado de "você"	
	Sentar no sofá junto da patroa e assistir TV com ela	Assistir TV na sala, mas pegar cadeira na cozinha/no seu quarto	Usar o elevador social	Continuar usando o elevador de serviço	Passar a chamar o patrão de "você"	Continuar chamando o patrão de "senhor"
Analfabeto	47	53	24	76	32	68
Até a 4ª série	49	51	33	67	30	70
Da 5ª à 8ª série	55	45	38	62	35	65
Ensino médio	68	32	50	50	44	56
Superior ou mais	75	25	72	28	59	41

*Toda pesquisa de opinião é realizada com base em perguntas que sejam compreensíveis para toda a população, o que inclui as pessoas de escolaridade muito baixa. Assim, as perguntas são feitas da maneira mais coloquial possível, mesmo que para isso os termos utilizados sejam menos formais e não estejam de acordo com definições jurídicas ou legais.

Tabela 3

As pessoas de escolaridade mais alta tendem a ser menos patrimonialistas do que as de escolaridade mais baixa

	Cada um deve cuidar somente do que é seu, e o governo cuida do que é público		Se alguém se sente incomodado pelo vizinho o melhor é não reclamar		Se alguém é eleito para um cargo público deve usar o cargo como se fosse propriedade particular, em benefício próprio		Já que o governo não cuida do que é público, então ninguém deve cuidar	
	Discorda	Concorda	Discorda	Concorda	Discorda	Concorda	Discorda	Concorda
Analfabeto	20	80	27	73	60	40	50	50
Até a 4ª série	15	85	37	63	69	31	67	33
Da 5ª à 8ª série	20	80	45	55	83	17	82	18
Ensino médio	31	69	62	38	95	5	95	5
Superior ou mais	47	53	78	22	97	3	98	2

Tabela 4

Aumente-se a escolaridade, diminua-se o fatalismo

	Deus decide o destino	Deus decide o destino, mas as pessoas podem mudá-lo um pouco	Deus decide o destino, mas as pessoas podem mudá-lo muito	Não há destino; as pessoas decidem tudo sobre suas vidas
Analfabeto	51	24	18	7
Até a 4ª série	47	29	15	9
Da 5ª à 8ª série	36	32	18	13
Ensino médio	23	32	30	16
Superior ou mais	9	17	47	27

Tabela 5

As pessoas de escolaridade mais baixa apóiam mais as punições ilegais do que as de escolaridade mais alta

	Um condenado por estupro ser estuprado na cadeia pelos outros presos é uma situação:		A polícia matar assaltantes e ladrões depois de prendê-los é uma situação:		A polícia espancar os presos para eles confessarem crimes é uma situação:		A população linchar suspeitos de crimes muito violentos é uma situação:	
	Certa	Errada	Certa	Errada	Certa	Errada	Certa	Errada
Analfabeto	29	71	40	60	51	49	27	73
Até a 4ª série	40	60	35	65	44	56	32	68
Da 5ª à 8ª série	45	55	35	65	41	59	33	67
Ensino médio	41	59	23	77	31	69	24	76
Superior ou mais	26	74	17	83	14	86	17	83

Tabela 6

Sexualidade

		Analfabeto	Até a 4ª série	Da 5ª à 8ª série	Ensino médio	Superior ou mais	*
Opinião sobre o uso de revistas pornográficas para excitação sexual	Contra	81	76	72	57	47	
	Nem contra nem a favor	2	2	2	4	3	
	A favor	17	22	26	39	49	32
Opinião sobre a masturbação masculina	Contra	82	76	61	42	26	
	Nem contra nem a favor	2	3	3	4	4	
	A favor	17	22	36	53	71	54
Opinião sobre o sexo anal entre um homem e uma mulher	Contra	92	87	81	63	52	
	Nem contra nem a favor	1	2	4	4	5	
	A favor	7	11	16	32	43	36
Opinião sobre o homem fazer sexo oral na companheira	Contra	92	81	70	44	28	
	Nem contra nem a favor	1	2	3	4	4	
	A favor	8	16	27	52	67	59
Opinião sobre o homossexualismo masculino	Contra	97	94	92	86	75	
	Nem contra nem a favor	1	2	2	3	5	
	A favor	2	4	6	11	20	18
Opinião sobre a masturbação feminina	Contra	85	81	62	43	23	
	Nem contra nem a favor	2	3	3	5	3	
	A favor	13	16	35	51	74	61
Opinião sobre a mulher fazer sexo oral no companheiro	Contra	86	83	69	42	26	
	Nem contra nem a favor	2	3	3	4	4	
	A favor	12	14	27	54	70	58
Opinião sobre o homossexualismo feminino	Contra	94	93	90	84	74	
	Nem contra nem a favor	2	2	3	3	5	
	A favor	3	5	7	13	21	18
Opinião sobre todo tipo de relação sexual voluntária	Contra	61	49	35	23	15	
	Nem contra nem a favor	3	3	3	3	2	
	A favor	36	48	62	74	82	46

*Esta coluna representa a diferença dos campos superior ou mais e analfabetos, considerando-se as respostas a favor.

Tabela 7

Proporção de quem acha que o governo deve controlar alguns setores, por segmentos de escolaridade

	Educação	Saúde	Aposentadoria e previdência social	Justiça	Transporte	Estradas e rodovias	Fornecimento de água
Analfabeto	74	76	81	80	55	71	76
Até a 4ª série	74	78	81	82	52	78	69
Da 5ª à 8ª série	72	72	72	77	38	71	68
Ensino médio	67	67	68	78	39	63	65
Superior ou mais	57	63	60	89	30	51	65

	Serviço de esgoto	Recolhimento de lixo	Energia elétrica	Serviço de telefonia fixa	Serviço de telefonia móvel (celular)	Bancos	Fabricação de carros
Analfabeto	76	78	75	56	54	77	36
Até a 4ª série	70	73	71	52	41	67	33
Da 5ª à 8ª série	69	66	64	42	28	54	21
Ensino médio	65	57	61	38	21	40	16
Superior ou mais	69	57	55	26	15	23	7

Tabela **8**

Quanto mais baixa a escolaridade, mais favorável à censura

	Opinião sobre a proibição de programa de TV que faz críticas ao governo				
	Discorda muito	Discorda um pouco	Nem concorda nem discorda	Concorda um pouco	Concorda muito
Sem instrução	32	11	2	10	46
Até a 4ª série	40	13	1	14	31
Da 5ª à 8ª série	45	23	0	14	19
Ensino médio	57	22	1	10	9
Superior ou mais	72	19	1	1	7

São inúmeros os exemplos. Indivíduos de escolaridade baixa, religiosos ou não, costumam se escandalizar quando se deparam com o noticiário sobre a enorme Parada Gay de São Paulo. Para eles, é incompreensível tamanha "perdição". Trata-se de uma situação extrema. O mundo dos filmes pornôs e das sex shops tende a ser muito distante para essas pessoas. Não somente por causa do poder aquisitivo, mas principalmente porque são comportamentos e práticas em desacordo com seus valores.

Para quem tem um diploma de curso superior, o que causa escândalo é um comportamento como o do ex-deputado federal Severino Cavalcanti (PPB-PE), que defendia abertamente a escolha de parentes para cargos públicos. Severino não tinha grau superior. A imprensa, que o atacou duramente e é formada por jornalistas com diploma universitário, comunicava-se com um público que, como eles, também tinha passado pelo ensino superior.

Já os eleitores de Severino, em sua maioria de baixa escolaridade e residentes em cidades pequenas do interior do Nordeste, tendem a não condenar o comportamento do deputado. Severino realmente representa essa população. E, mais uma vez, a principal diferença entre o deputado e seus representados, de um lado, e os jornalistas e seus leitores, de outro, é o nível de escolaridade.

Profissionais do mercado financeiro, muitos com doutorado completo, não querem nem ouvir falar nas palavras "Estado" ou "governo". Segundo a doutrina liberal, *small is beautiful*. Ou seja, quanto menos o Estado intervir na economia, melhor.

Não é necessário trabalhar no mercado financeiro para pensar dessa maneira. Basta um diploma superior na mão para que se tenha uma visão de mundo em que o indivíduo cuida sozinho de seu bem-estar econômico. Caberia ao Estado apenas prover as condições mínimas nas quais o indivíduo possa prosperar. Visão bem diferente da de pessoas de baixa escolaridade, que vêem o governo de forma paternalista, firmes na crença em um "Estado-pai" para resolver os problemas de todos. Para esses indivíduos, só uma maior intervenção governamental na economia pode melhorar suas vidas.

Será que são necessários mais exemplos? Pois vamos a eles: quando o assunto é privatização, constata-se que não há massa crítica na população para sustentar a aplicação desse tipo de medida para, por exemplo, o Banco do Brasil ou a Petrobras. Porém, à medida que aumentar a proporção da população com nível superior completo ficará mais difícil manter essas empresas sob o controle do Estado. Haverá uma transição conflituosa entre Banco do Brasil estatal e Banco do Brasil privado. O conflito está posto; é um conflito de valores. Nesse caso, o que predominar, seja estatal ou privado, será resultado da força da opinião pública ou dos valores dominantes da população. Como atualmente os valores dominantes são estatizantes, mantenha-se o banco e a companhia de petróleo estatais. Privatização é um tema polêmico e sempre será, mas o nível de escolaridade tem um peso importante nessa controvérsia.

Uma antiga controvérsia, o racismo...

Há ou não há racismo no Brasil? Esse é um tema antigo, que a cada dia vem se tornando menos controverso. Ainda que haja vozes contrárias aos fatos, o Brasil vem lentamente tomando consciência de seu preconceito racial ou de cor.

Não é uma grande conclusão, dirão muitos, a de que há racismo no país. Esse assunto será tratado nos capítulos que abordam cor e raça.

Há no Brasil o famoso "mito da democracia racial", cuja origem vamos encontrar na obra de Gilberto Freyre. Em uma comparação com os Estados Unidos, Freyre busca mostrar que o Brasil é resultado da mistura de três raças: o branco europeu, o preto africano e o ameríndio já presente na América do Sul antes da chegada dos portugueses. Essa mistura é aceita pelos brasileiros como um valor positivo. Em sua monumental obra, Freyre mostra que, na formação do Brasil colonial e escravista, as relações sociais entre brancos e pretos eram diferentes daquelas que marcaram a formação norte-americana. Essa diferença se estabelece, entre outros fatores, pela prática de relações sexuais entre o senhor branco e a escrava preta, uma possibilidade sempre presente para reforçar a mistura que já existia na pele dos portugueses.

O "mito da democracia racial" acerta em uma coisa: diferentemente dos Estados Unidos, não existe no Brasil uma ideologia ativa e militante que sustente o racismo. Mas erra ao afirmar, muitas vezes completamente, como no livro *Não somos racistas*, do jornalista Ali Kamel, que o problema brasileiro não é a discriminação racial, mas a discriminação baseada em classe social, uma espécie de classismo.

Todavia, é importante constatar, de maneira convincente, que há preconceito racial, tal como é apresentado a seguir nos Gráficos 1 a 3. Chegou-se a essa conclusão por meio de:

- uma pesquisa de opinião feita com a metodologia mais rigorosa possível;
- perguntando-se aos brasileiros se eles são ou não racistas.

Na média, eles responderam: "Somos racistas, sim."

Gráfico 1

Atributos positivos – brancos, pardos e pretos

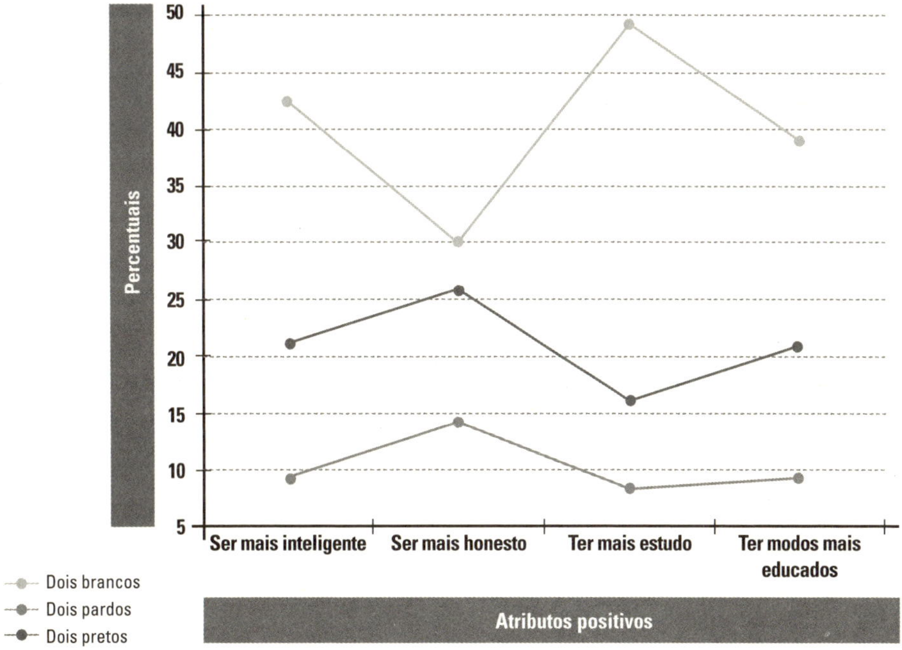

Os defensores da cordialidade racial só poderão negar as conclusões dos Gráficos 1 a 3 questionando a metodologia empregada. O trabalho é deles, não do autor deste livro. Confio plenamente nos métodos testados e aprovados no Brasil e em outros países do mundo. Afinal, são os mesmos que permitem prever comportamentos de consumo, tendências eleitorais ou econômicas, entre outros.

No Brasil, os pardos – que já são uma mistura – têm menos preconceito de cor do que os brancos e pretos. Muitos vão dizer: "É claro!" Como os pardos já têm experiência familiar de mistura, e como estão entre os dois extremos, são eles os que menos preconceito cultivam. O resultado da pesquisa expressou uma conclusão lógica. O dado empírico fortaleceu a dedução.

Mas se a pesquisa confirma algo que é lógico, por que ela não haveria de constatar algo que realmente existe na sociedade brasileira? O preconceito de cor. Há discriminação e ela acontece contra pretos e pardos. A vida deles é muito mais difícil do que a vida dos brancos. As barreiras devido à cor são maiores. Em muitos casos, os pardos são mais vítimas do que os pretos. São vistos como os mais malandros. Em outras situações, os pretos estão em piores condições do que os pardos. O fato é que não há situação na qual os brancos estejam piores do que pardos e pretos.

Gráfico 2

Atributos positivos – brancos, pardos e pretos

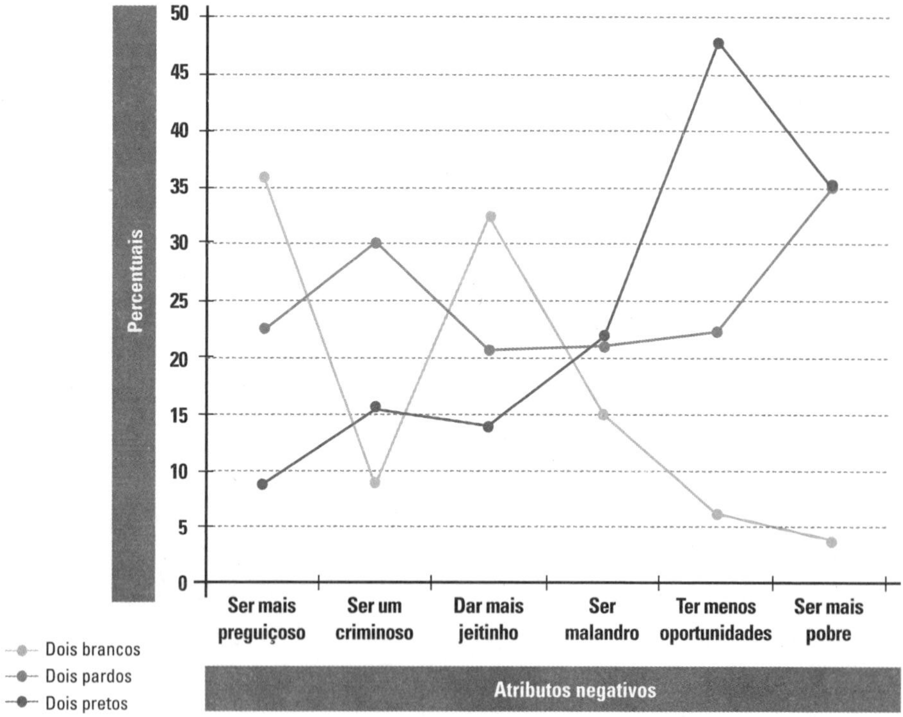

Gráfico 3

Profissões – brancos, pardos e pretos

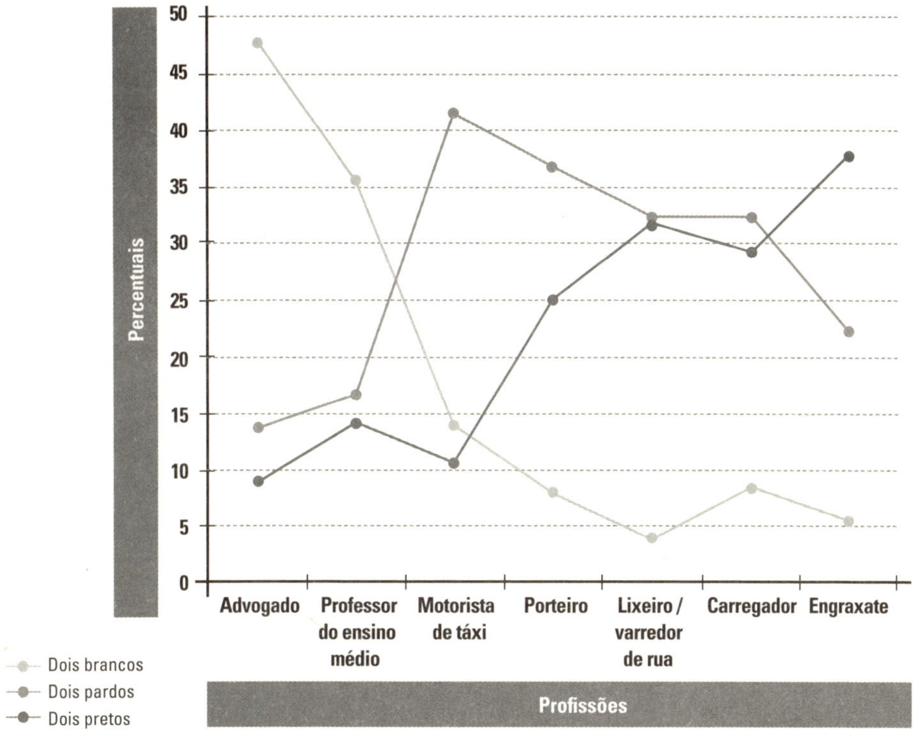

De tudo isso, o que se conclui é que nada é melhor no Brasil do que ser homem e branco. Algo que muitos já sabiam pela experiência. O fato é que agora, com os dados da PESB, isso é dito pelos próprios brasileiros. Aqueles que alimentam a controvérsia de que não há racismo no Brasil, ou, se há, ele é brando e cordial, terão de se confrontar com as evidências empíricas apresentadas neste livro. Os próprios brasileiros dizem que são racistas, e não necessariamente cordiais.

Duas conclusões, uma com implicações antropológicas

Quando se identifica tamanha distância cultural entre dois segmentos de uma população, pode-se afirmar que não se está tratando de uma só cultura, mas de pelo menos duas formas distintas e, na maioria das vezes, opostas, de ver o mundo.

Mais do que uma contribuição antropológica para compreender o Brasil, Roberto DaMatta talvez tenha produzido uma tentativa sociológica de compreender as sociedades subdesenvolvidas, quaisquer que sejam elas. Se a escolaridade média da população é muito baixa, essas sociedades tendem a legitimar a quebra da regra ou da lei (jeitinho), a acreditar que cada indivíduo deve respeitar seu papel social pré-definido (hierarquia), a considerar as relações familiares muito mais importantes do que as demais relações etc.

À medida que o grau de educação aumenta e as sociedades enriquecem, essas maneiras de ver o mundo perdem força. O que não é um fenômeno particular ao Brasil, mas um fenômeno que pode ser generalizado, associado a um determinado estágio de desenvolvimento pelo qual qualquer sociedade acaba passando.

Há ainda uma resposta antropológica simples. A cultura brasileira seria diferente sim, e a prova disso é que o brasileiro de grau superior é mais familista ou hierárquico, por exemplo, do que o norte-americano de grau superior. Ou seja, controlando a variável escolaridade, o antropólogo poderia encontrar diferenças constantes entre duas sociedades distintas. Nesse caso, essas distinções se configurariam na própria diversidade cultural entre elas. Cultura existe e importa.

As duas conclusões podem coexistir: tanto a escolaridade é importante e explica bastante a diferença entre grupos sociais em um mesmo país, quanto pessoas da mesma escolaridade em países distintos podem ter visões de mundo diversas. De toda sorte, o Brasil nunca será culturalmente igual aos Estados Unidos, e vice-versa. Porém, se desejamos que alguns elementos da cultura norte-americana ganhem mais força no Brasil, os dados dessa pesquisa indicam um caminho muito claro: expanda-se de forma veloz a escolarização de grau superior no Brasil. Feito isso, ficaremos mais parecidos com nossos vizinhos ricos do norte – mas nunca iguais.

Apenas para manter acesa a polêmica, vale perguntar: não seremos nunca iguais porque a cultura é realmente diferente ou porque eles sempre terão vantagem na escolaridade? É bem possível que no dia em que a maioria dos brasileiros tiver curso superior, nos Estados Unidos a maioria da população tenha mestrado. E assim continuaremos sem saber exatamente por que há diferença entre os dois países: se por causa da escolaridade ou por causa da cultura. O clima cultural criado por uma maioria de escolaridade baixa é bem diferente daquele gerado por uma maioria de escolaridade alta.

capítulo 1

Corrupção: com jeitinho parece que vai

capítulo 1

"E como já dizia Galileu da Galiléia
Malandro que é malandro não bobéia
Se malandro soubesse como é bom ser honesto
Seria honesto só por malandragem, caramba
Ai, ai, caramba, ai, ai, caramba"
"Caramba... Galileu da Galiléia", de Jorge Ben Jor

Você é a favor da corrupção? Claro que não? E, por acaso, já se utilizou pelo menos uma vez na vida do "jeitinho brasileiro"? Sem dúvida que sim. É óbvio que ninguém declararia publicamente ser favorável à corrupção. Nem mesmo seus principais beneficiários. Porém, há ideologias mais complacentes com a corrupção do que outras. Vista pela ótica anglo-saxã, a ética certinha dos policiais norte-americanos Fucker e Sucker, satirizados pela turma do Casseta & Planeta, contrasta com a que freqüentemente é vista em delegacias brasileiras.

Em um mundo dividido entre o certo e o errado, entre a corrupção e o favor, entre o bem e o mal, todos aprovamos o que é certo, apoiamos o favor e queremos ver o bem realizado. Mas o que dizer de um mundo em que uma zona nebulosa nem sempre deixa claro o que é certo ou o que é errado? Ou em que o certo e o errado dependem do contexto e das circunstâncias?

O jeitinho brasileiro é importante em nossa sociedade. Não apenas por ser muito difundido, mas principalmente pelo fato de nos permitir entender por que o Brasil tem tanta dificuldade em combater a corrupção. Ele até já foi objeto de estudo da antropologia; faltava abordá-lo com dados quantitativos. O que foi feito pela Pesquisa Social Brasileira.

Desse modo, pela primeira vez o Brasil tem a chance de entender o Brasil. Os brasileiros têm a chance de saber por que a "cultura da corrupção" é tão enraizada entre nós. A PESB mostra que isso acontece porque a corrupção não é simplesmente a obra perversa de nossos políticos e governantes. Sob a simpática expressão "jeitinho brasileiro", ela é socialmente aceita, conta com o apoio da população, que a encara como tolerável.

Numa interpretação complacente, o jeitinho é sempre o instrumento que possibilita a quebra das regras. Sejam boas ou ruins, por definição, elas são universais e se aplicam a todos os cidadãos. Se forem injustas ou ilegítimas, devem ser mudadas. Porém, uma vez estabelecidas, devem e precisam ser seguidas.

É sempre notícia no Brasil...

Dono admite que barco estava superlotado. Proprietário de embarcação que naufragou em Belém matando 23 pessoas se entrega à polícia; comandante está foragido – *O Globo*, 20/12/2002, p. 19.

Estatal não pode ser moeda de troca política. Presidente da BR Distribuidora diz que dinheiro do órgão já foi usado para bancar campanhas eleitorais – *O Globo*, 15/12/2002, p. 13.

Passe livre para a fraude. Falsos estudantes viajam de graça com uniformes e cadernetas vendidos em camelôs – *O Globo*, 24/12/2002, p. 12.

Um terço das empresas admite ser corruptora. Pesquisa feita por ONG e por consultoria mostra ainda que 48% das firmas entrevistadas receberam pedidos de propina – *O Globo*, 22/11/2002, p. 10.

O clientelismo resiste. Desempregados recebem promessas de candidatos a deputado mediante título de eleitor – *O Globo*, 1/9/2002, p. 3.

Comandante da PM admite: "Não sou surdo." Coronel Braz pede reforma com base em laudo de surdez que o declara incapaz para o serviço policial militar – *O Globo*, 25/12/2002, p. 12.

Ministro do STJ fica sob a mira da justiça. Em decisão inédita, tribunal abre processo administrativo para investigar a ligação de Vicente Leal com o tráfico – *O Globo*, 16/12/2002, p. 8.

Em um minuto, aumento de 52%. Deputados aprovam em tempo recorde aumento de salário de R$ 8.500 para R$ 12.720 – *O Globo*, 19/12/2002, p. 3.

PF diz que Landim cobrou dívida de traficante. Gravação mostra deputado cobrando US$ 100 mil. Para a polícia, dinheiro seria para comprar habeas corpus – *O Globo*, 19/12/2002, p. 11.

Mercenários do "bonde azul". Policiais militares se aliam à quadrilha do traficante Linho na disputa por favelas – *O Globo*, 1/12/2002, p. 19.

Traficante acusado de financiar quadrilha de 20 policiais é preso. Anderson Negão disse que entregava a PMs metade de seu faturamento – *O Globo*, 10/12/2002, p. 24.

Intervenção nos cartórios. Corregedoria destitui seis tabeliães que foram nomeados irregularmente em 1999 – *O Globo*, 27/11/2002, p. 16.

Orçamento é aprovado sem ter sequer texto. Parlamentares tiram recursos do FAT, das agências reguladoras e da Cide para garantir suas emendas – *O Globo*, 20/12/2002, p. 14.

Ministro admite indício de venda de habeas corpus. Presidente da comissão do STJ que investiga esquema de favorecimento a traficantes diz que nomes não são citados nas gravações – *O Globo*, 20/12/2002, p. 16.

Desvio de R$ 5 milhões na Junta Comercial. Atual presidente da entidade denuncia também outras irregularidades, como o superfaturamento de serviços – *O Globo*, 25/12/2002, p. 10.

Dinheiro público no ralo. Nos últimos dois anos, Tribunal de Contas condenou políticos a devolverem R$ 40 milhões – *O Globo*, 25/11/2002, p. 10.

Ao contrário do que é possibilitado pelo jeitinho, o padrão dicotômico de moralidade, que divide o mundo entre certo e errado, permite que a cidadania – compreendida como um catálogo universal de direitos – se realize e se torne efetiva. É certo que as leis sejam cumpridas e errado que elas sejam infringidas em favor de grupos ou pessoas. Isso é verdade, por mais especial e delicada que seja a situação daquele que se beneficiaria por seu não-cumprimento.

O jeitinho, portanto, equivale a uma "zona cinzenta moral" entre o certo e o errado. Se uma situação é classificada como jeitinho, o que se está afirmando é que, dependendo das circunstâncias, essa situação pode passar de errada a certa.

Não há uma regra universal e superior que regule o mundo para além das circunstâncias. O que existe são julgamentos caso a caso que podem concluir que, dependendo do contexto, se trata de algo certo ou errado.

A questão fundamental é simples: seria o jeitinho a ante-sala da corrupção? Pode-se afirmar que quanto maior é sua aceitação, maior também é a tolerância social à corrupção? Os resultados da PESB parecem indicar que a resposta a ambas as perguntas é sim. Ao contrário da moralidade norte-americana, a brasileira admite a existência de um meio-termo entre o certo e o errado. Quanto maior for a utilização e a aceitação desse meio-termo, maiores serão as chances de que haja uma grande tolerância em relação à corrupção.

Essa zona cinzenta moral torna, em muitas situações, difusa e imperceptível a linha divisória que marca o início daquilo que é (ou deveria ser) considerado errado. Adicionalmente, se, por causa das circunstâncias e do contexto, regras são quebradas para que determinadas pessoas sejam beneficiadas, qual o limite para esse procedimento? Por que ele não é tão errado quando se trata de uma fila de banco, mas muito errado quando se trata de dinheiro público? Nas duas situações, ignorou-se um princípio geral: a necessidade de se seguir regras e leis. A diferença entre ambos é de grau, mas não de conteúdo.

Uma das coisas que a pesquisa permitiu avaliar foi a extensão do apoio social ao jeitinho brasileiro. Constatou-se o quanto ele está difundido na população, por meio da aplicação de três perguntas:

- se alguma vez na vida o entrevistado já havia dado um jeitinho para alguém;
- se alguma vez na vida o entrevistado já havia pedido para alguém dar um jeitinho a seu favor; e
- se alguma vez na vida o entrevistado já havia dado um jeitinho.

Os resultados para as três perguntas são bastante homogêneos e coerentes: algo em torno de 2/3 de toda a população brasileira já se utilizou desse tipo de recurso.

Gráfico 1

Utilização do jeitinho

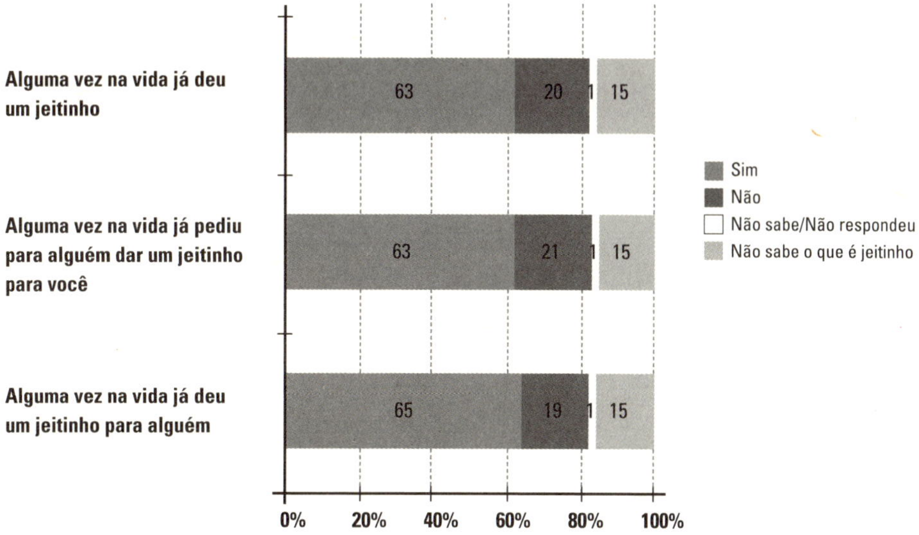

É possível que esse percentual seja ainda mais elevado, pois quanto mais baixa a escolaridade do entrevistado menos ele sabe o que é "dar um jeitinho" (36% para os analfabetos), e por isso menos afirma já haver recorrido a ele (51% para os analfabetos). Note-se o fenômeno oposto: as pessoas que mais deram um jeitinho são justamente as que têm escolaridade mais elevada (70% para superior completo e 71% para ensino médio completo). São elas as que mais sabem o que significa "dar um jeitinho".

Gráfico 2

O uso do jeitinho de acordo com o nível de escolaridade

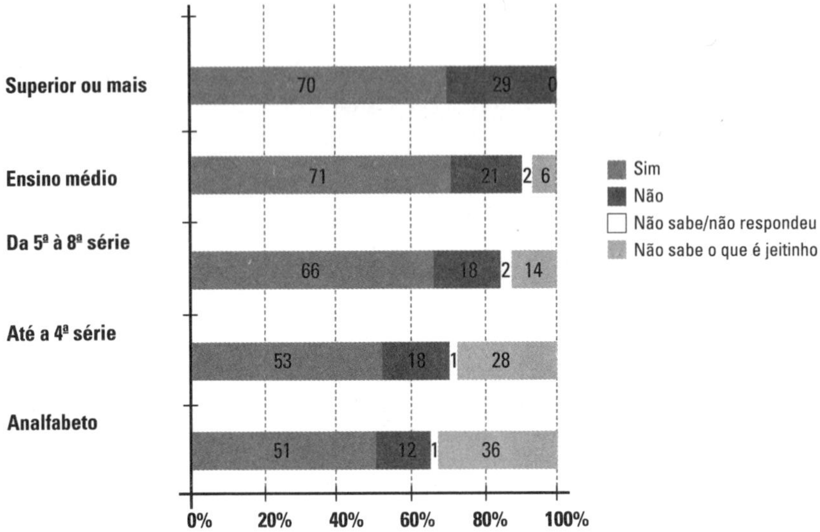

O mais provável é que, na prática, as pessoas de escolaridade mais baixa também utilizem o jeitinho, apesar de desconhecerem a expressão. Isso significa que à medida que aumenta a escolaridade da população, mantidas constantes outras variáveis, aumenta também o percentual dos que declaram já ter recorrido ao jeitinho alguma vez na vida.*

Há um dado que reforça essa tendência: ele é mais freqüente entre os brasileiros mais jovens. Na faixa da população de 18 a 24 anos, 74% já deram algum jeitinho na vida, ao passo que esse percentual cai para 54% entre os que têm 60 anos ou mais. A escolaridade, nesse caso, também faz a diferença: os mais jovens têm uma média de escolaridade mais alta do que os mais velhos.

*Em seu livro *O jeitinho brasileiro* (Rio de Janeiro, Campus, 1992), Lívia Barbosa afirma, baseada em sua pesquisa, que "todas as pessoas entrevistadas conhecem, praticam ou fazem uso das expressões *jeitinho brasileiro* ou *dar um jeitinho*". Há, portanto, uma grande divergência empírica entre esses resultados e os obtidos pela PESB. Uma explicação possível é que Lívia Barbosa fundamenta suas conclusões em 200 entrevistas "com os mais diferentes segmentos e faixas etárias da população", ao passo que a amostra da PESB é probabilística.

De qualquer maneira, esse resultado indica com clareza que o jeitinho é uma prática social presente em todos os grupos e classes sociais, e são grandes as chances de que ele permaneça entre nós ainda por muito tempo.

Gráfico 3

O uso do jeitinho de acordo com a faixa de idade

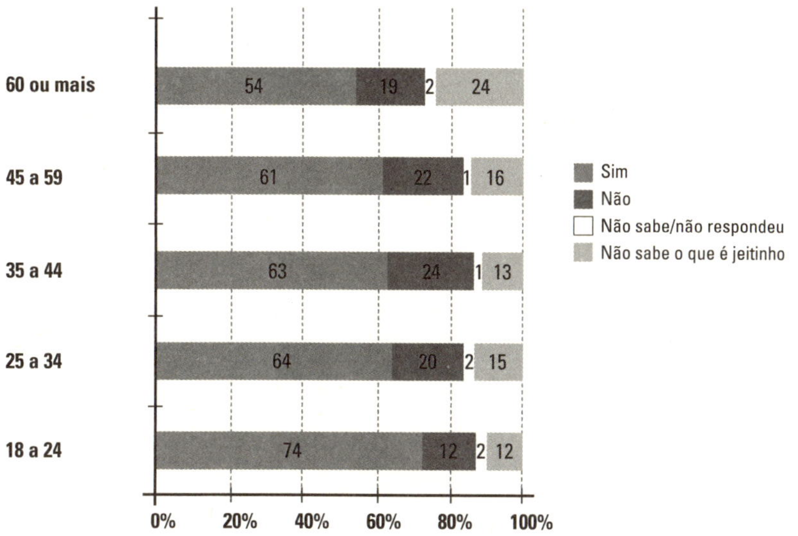

O que é o jeitinho – a classificação entre favor, jeitinho e corrupção

Foram utilizados dois métodos para avaliar o que a população brasileira considera ser o jeitinho. O primeiro foi uma simples pergunta direta: "Na opinião do(a) senhor(a), o que é dar um jeitinho?" O segundo consistiu em solicitar que os entrevistados classificassem 19 situações por meio de uma das seguintes denominações: Favor / Mais favor do que jeitinho / Mais jeitinho do que favor / Jeitinho / Mais jeitinho do que corrupção / Mais corrupção do que jeitinho / Corrupção.

As 19 situações foram elaboradas para que fosse possível identificar aquelas que caracterizam o favor típico, a corrupção típica e o jeitinho.* Os resultados da pesquisa mostram que há quatro situações que caracterizam com clareza o que é um favor. Elas são apresentadas abaixo em ordem decrescente – os percentuais mostram a variação no conceito de favor:

1. Emprestar dinheiro a um amigo (90%).
2. Um vizinho emprestar a outro vizinho uma panela ou fôrma que faltou para preparar a refeição (89%).
3. Na fila do supermercado, deixar passar na frente uma pessoa que tem poucas compras (67%).
4. Guardar o lugar na fila para alguém que vai resolver um problema (62%).

Tabela 1

Favor, jeitinho ou corrupção?

	Favor	Jeitinho	Corrupção
1) Uma pessoa que costuma dar boas gorjetas ao garçom do restaurante para, quando voltar, não precisar esperar na fila é:	14	59	27
2) Uma pessoa que trabalha em um banco ajudar um conhecido que tem pressa a passar na frente da fila é:	28	56	17
3) Uma pessoa que conhece um médico passar na frente da fila do posto de saúde é:	10	50	40
4) Uma mãe que conhece um funcionário da escola passar na frente da fila quando vai matricular seu filho é:	9	50	41
5) Alguém consegue um empréstimo do governo que demora muito a sair. Conseguir liberar o empréstimo mais rápido porque tem um parente no governo é:	13	45	42

*Para efeito de análise, foram somadas as respostas "favor" com "mais favor do que jeitinho", "corrupção" com "mais corrupção do que jeitinho", e por fim "mais jeitinho do que favor" com "jeitinho" e com "mais jeitinho do que corrupção". Isso permitiu trabalhar com apenas três categorias: favor, jeitinho e corrupção. Essa escala foi inspirada em Lívia Barbosa, *O jeitinho brasileiro*, Rio de Janeiro, Campus, 1992, p. 33.

	Favor	Jeitinho	Corrupção
6) Pedir a um amigo que trabalha no serviço público para ajudar a tirar um documento mais rápido do que o normal é:	26	43	31
7) Passar uma conversa em um guarda para ele não aplicar uma multa é:	6	41	53
8) Guardar o lugar na fila para alguém que vai resolver um problema é:	62	33	4
9) Na fila do supermercado, deixar passar na frente uma pessoa que tem poucas compras é:	67	27	6
10) Um funcionário público receber um presente de Natal de uma empresa que ele ajudou a ganhar um contrato do governo é:	30	27	44
11) Uma pessoa ter uma bolsa de estudo e um emprego ao mesmo tempo, o que é proibido, mas ela consegue esconder do governo, é:	3	23	74
12) Fazer um gato/uma gambiarra de energia elétrica é:	4	22	74
13) Uma pessoa ter dois empregos, mas só ir trabalhar em um deles é:	3	19	78
14) Uma pessoa conseguir uma maneira de pagar menos impostos sem que o governo perceba é:	2	14	83
15) Dar 20 reais para um guarda para ele não aplicar uma multa é:	4	13	84
16) Um vizinho emprestar a outro uma panela ou fôrma que faltou para preparar a refeição é:	89	10	1
17) Pagar ao funcionário de uma companhia de energia para fazer o relógio marcar um consumo menor é:	5	10	85
18) Emprestar dinheiro a um amigo é:	90	9	1
19) Usar um cargo no governo para enriquecer é:	2	8	90

Os entrevistados classificaram sete das 19 situações apresentadas como casos de corrupção:

1. Usar um cargo no governo para enriquecer (90%).
2. Pagar um funcionário de uma companhia de energia para fazer o relógio marcar um consumo menor (85%).
3. Dar 20 reais para um guarda para ele não aplicar uma multa (84%).
4. Uma pessoa conseguir uma maneira de pagar menos impostos sem que o governo perceba (83%).
5. Uma pessoa ter dois empregos, mas só vai trabalhar em um deles (78%).
6. Fazer um gato/uma gambiarra de energia elétrica (74%).
7. Uma pessoa ter uma bolsa de estudo e um emprego ao mesmo tempo, o que é proibido, mas ela consegue esconder do governo (74%)

O jeitinho foi claramente identificado em seis situações:

1. Uma pessoa que costuma dar boas gorjetas ao garçom do restaurante para quando voltar não precisar esperar na fila (59%).
2. Uma pessoa que trabalha em um banco ajudar um conhecido que tem pressa a passar na frente da fila (56%).
3. Uma pessoa que conhece um médico passar na frente da fila do posto de saúde (50%).
4. Uma mãe que conhece um funcionário da escola passar na frente da fila quando vai matricular seu filho (50%).
5. Alguém consegue um empréstimo do governo que demora muito a sair. Conseguir liberar o empréstimo mais rápido porque tem um parente no governo (45%).
6. Pedir a um amigo que trabalha no serviço público para ajudar a tirar um documento mais rápido do que o normal (43%).

Uma das situações é extremamente ambígua: "um funcionário público receber um presente de Natal de uma empresa que ele ajudou a ganhar um contrato do governo". Uma outra que fica entre jeitinho e corrupção: "passar uma conversa em um guarda para ele não aplicar uma multa".

Das quatro situações consideradas "favor", é possível perceber que duas delas, as que envolvem fila, são bastante improváveis em países como os Estados Unidos e Grã-Bretanha. Quem já viveu nos Estados Unidos sabe que tanto guardar lugar na fila quanto pedir para passar na frente porque tem poucas compras são situações bastante improváveis e injustificadas. Ao contrário das duas primeiras – empréstimo de dinheiro e de panela/fôrma – que se encerram em uma troca exclusivamente privada, são situações de favor que envolvem o espaço público. Além disso, aproximadamente 30% da população as consideram "jeitinho".

No Brasil, o favor ainda é concebido pela população como algo legítimo na esfera pública. É importante lembrar que no contínuo favor-jeitinho-corrupção, o favor é o único dos três considerado de forma exclusivamente positiva. Portanto, a lógica estabelecida pela fila – universal, geral e pública – pode ser quebrada de maneira positiva e em função do contexto (ou porque se tem um problema ou porque se tem poucas compras). A moralidade contextual está presente inclusive na concepção de favor.

Considerando-se agora as sete situações classificadas como corrupção, nota-se que cinco delas não são acessíveis à maioria das pessoas. A PESB detectou que 64% dos brasileiros não têm carro, o que é um percentual muito elevado. Isso quer dizer que para essas pessoas dar dinheiro para um guarda para que ele perdoe uma multa é uma situação distante de seu cotidiano.

É significativo que as pessoas que não têm carro inclinem-se mais a considerar corrupção "passar uma conversa no guarda para ele não aplicar uma multa". Elas são 8% mais numerosas do que os proprietários de carros com a mesma opinião.

Gráfico 4

Passar uma conversa em um guarda para ele não aplicar uma multa

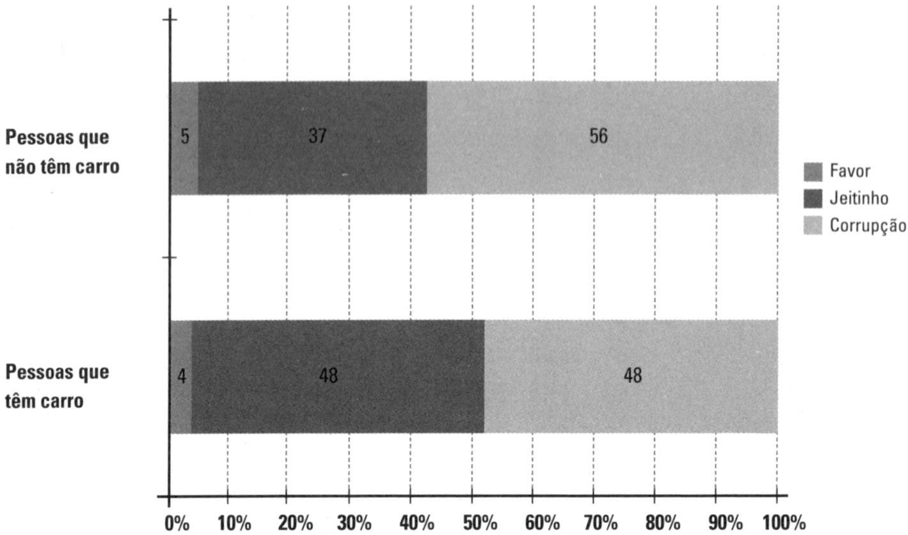

Também são práticas distantes da maioria das pessoas: enriquecer por meio de cargos públicos; encontrar meios de não pagar impostos; ter dois empregos e só trabalhar em um deles; e ter ao mesmo tempo bolsa de estudo e emprego. Isso quer dizer que, distante dessas situações, a maioria da população se sente à vontade para classificá-las como claramente negativas: elas são corrupção.

Além disso, as duas situações que implicam fraude da contagem do consumo de energia elétrica têm sido objeto recente de campanhas nacionais de esclarecimento, todas elas visando a estigmatizar e a combater tais práticas, colocando-as claramente no terreno da ilegalidade.

Ao contrário do que ocorre nas circunstâncias classificadas como corrupção, as que são consideradas "jeitinho" estão ao alcance da maioria da população. Não é necessário ser importante, ter dinheiro, ser famoso ou conhecer pessoas poderosas para furar a fila de um posto médico ou burlar a burocracia responsável pela emissão de documentos.

Ao contrário do que afirma Lívia Barbosa, de que a passagem do favor para o jeitinho e deste para a corrupção é mais resultado do contexto em que ocorre cada caso do que de sua natureza peculiar, é possível perceber diferenças importantes entre as 19 situações dadas, pela forma como foram classificadas pela população. Diferenças que não guardam relação necessária com o contexto.

As situações classificadas como jeitinho envolvem algum tipo de burocracia, ainda que seja a de um restaurante, e um amigo ou conhecido que, com boa vontade, quebra uma regra geral para ajudar a contornar um problema. Trata-se, portanto, do apelo a uma relação pessoal. Inversamente, no que se considera corrupção, não há interferência de um conhecido ou amigo. As relações são impessoais, o que fica bem caracterizado pelo recurso do dinheiro em vez da boa vontade como forma de solucionar problemas.

Quanto ao favor, como demonstrado, há situações que envolvem relações pessoais e outras de impessoalidade. Nestas, é a noção de espaço público que está em jogo. Para uma grande parte da população, o espaço público é definido de maneira que o que seria inaceitável em outro ambiente possa ser percebido como algo tolerável. Nas situações caracterizadas por relações pessoais e privadas (empréstimo de dinheiro ou objetos) fica clara a unanimidade: são favores.

O contexto é, sem dúvida, importante para passar do favor para o jeitinho e deste para a corrupção. Mas os dados revelam que características peculiares a cada situação levam a população a considerá-la uma coisa ou outra.

O consenso social sobre favor, jeitinho e corrupção

Há uma grande variação na avaliação que a população brasileira faz das 19 situações. Há aquelas em relação às quais há consenso na classificação – seja como corrupção, favor ou jeitinho – e aquelas em relação às quais a população se divide. A Tabela 2 apresenta o resultado dessa análise.

Tabela 2

Consenso e discordância da população na classificação das situações

Situação	Classificação predominante	Nível de consenso/ discordância
Pedir a um amigo que trabalha no serviço público para ajudar a tirar um documento mais rápido do que o normal é:	Jeitinho	Maior discordância
Um funcionário público receber um presente de Natal de uma empresa que ele ajudou a ganhar um contrato do governo é:	Jeitinho	
Alguém consegue um empréstimo do governo, que demora muito a sair. Conseguir liberar o empréstimo mais rápido porque tem um parente no governo é:	Jeitinho	
Pagar um funcionário de uma companhia de energia para fazer o relógio marcar um consumo menor é:	Corrupção	
Dar 20 reais para o guarda para ele não aplicar uma multa é:	Corrupção	
Passar uma conversa no guarda para ele não aplicar uma multa é:	Jeitinho/Corrupção	
Uma pessoa que trabalha em um banco ajudar um conhecido que tem pressa a passar na frente da fila é:	Jeitinho	
Uma mãe que conhece um funcionário da escola passar na frente da fila quando vai matricular seu filho é:	Jeitinho	Consenso e discordância médios
Fazer um gato/uma gambiarra de energia elétrica é:	Corrupção	
Uma pessoa conseguir uma maneira de pagar menos impostos sem que o governo perceba é:	Corrupção	
Usar um cargo no governo para enriquecer é:	Corrupção	

Situação	Classificação predominante	Nível de consenso/ discordância
Uma pessoa que costuma dar boas gorjetas ao garçom do restaurante para quando voltar não precisar esperar na fila é:	Jeitinho	
Uma pessoa ter dois empregos, mas só ir trabalhar em um deles é:	Corrupção	
Uma pessoa que conhece um médico passar na frente da fila do posto de saúde é:	Jeitinho	
Uma pessoa ter bolsa de estudo e um emprego ao mesmo tempo, o que é proibido, mas ela consegue esconder do governo, é:	Corrupção	
Guardar o lugar na fila para alguém que vai resolver um problema é:	Favor	
Um vizinho emprestar a outro vizinho uma panela ou fôrma que faltou para preparar a refeição é:	Favor	
Na fila do supermercado, deixar passar na frente uma pessoa que tem poucas compras é:	Favor	
Emprestar dinheiro a um amigo é:	Favor	Maior consenso

Os resultados evidenciam que há um amplo consenso na classificação do que é favor. Tal consenso diminui gradativamente quando se passa para as situações nas quais predomina a corrupção e diminui ainda mais quando se trata de um jeitinho.

Não é por acaso que o jeitinho é o meio-termo, o meio caminho entre os dois extremos da classificação moral das situações. É nesse espaço nebuloso que reside a dificuldade dos brasileiros em estabelecer e concordar a respeito de critérios universais sobre o que é certo e o que é errado, independentemente do contexto ou grupo social.

Todos já tivemos de passar por situações de conflito, independentemente da existência de um árbitro ou de uma terceira parte que pudesse decidir sobre o resultado entre concepções diferentes. Provavelmente todos já estiveram dos dois lados desse tipo de embate: do lado do argumento impessoal e universal, que classifica a situação apenas entre certo e errado, e do lado do jeitinho que permite que consideremos o nosso ponto de vista correto por se tratar de um caso ímpar e especial.

A análise dos dados revela que esse conflito tende a ser maior quando se trata de "pedir a um amigo que trabalha no serviço público para ajudar a tirar um documento mais rápido do que o normal" e não existe para "emprestar dinheiro a um amigo".

Os dados das Tabelas 3 a 7 mostrarão que – consideradas apenas as três situações nas quais a discordância é maior* – é possível perceber que o Brasil está dividido entre aqueles que moram em capitais, são mais jovens, têm escolaridade mais elevada e fazem parte da população economicamente ativa (PEA), e os que moram em cidades que não são capitais, especialmente no Nordeste, são mais velhos, têm escolaridade mais baixa e não fazem parte da PEA.

Não foram identificadas diferenças importantes entre homens e mulheres, ou seja, o sexo não influi na classificação que as pessoas fazem das situações analisadas.

*Essas situações foram selecionadas depois de realizada uma análise estatística que identificou quais das 19 situações da bateria de perguntas sobre o jeitinho eram as que mais diferenciavam a população.

Tabela 3

Quem mora nas capitais tende a considerar as situações mais como corrupção do que quem mora fora das capitais

	Pedir a um amigo que trabalha no serviço público para ajudar a tirar um documento mais rápido do que o normal é:			Um funcionário público receber um presente de Natal de uma empresa que ele ajudou a ganhar um contrato do governo é:			Alguém consegue um empréstimo do governo, que demora muito a sair. Conseguir liberar o empréstimo mais rápido porque tem um parente no governo é:		
	Favor	Jeitinho	Corrupção	Favor	Jeitinho	Corrupção	Favor	Jeitinho	Corrupção
Não mora na capital	28	42	30	32	28	41	14	43	43
Mora na capital	21	46	33	25	24	51	10	48	42

As divergências entre os residentes em capitais e os não residentes tendem a ser maiores na situação em que "um funcionário público recebe um presente de Natal de uma empresa que ele ajudou a ganhar um contrato do governo". A diferença na classificação como corrupção é de 10%. Ainda que nas outras duas situações não haja diferença pronunciada, nota-se uma tendência dos residentes em capitais de classificar mais como corrupção ou jeitinho do que como favor.

Tabela 4

Os jovens tendem a considerar as situações mais como corrupção do que os mais velhos

	Pedir a um amigo que trabalha no serviço público para ajudar a tirar um documento mais rápido do que o normal é:			Um funcionário público receber um presente de Natal de uma empresa que ele ajudou a ganhar um contrato do governo é:			Alguém consegue um empréstimo do governo, que demora muito a sair. Conseguir liberar o empréstimo mais rápido porque tem um parente no governo é:		
	Favor	Jeitinho	Corrupção	Favor	Jeitinho	Corrupção	Favor	Jeitinho	Corrupção
18 a 24	16	40	44	31	31	39	9	36	54
25 a 34	19	47	34	28	24	48	9	45	46
35 a 44	26	45	29	28	26	46	14	50	36
45 a 59	31	43	26	31	26	43	14	47	38
60 ou mais	43	34	23	31	28	40	23	40	37

Quando o mesmo dado é analisado por faixas de idade, nota-se um fenômeno oposto ao que ocorre na análise para a população economicamente ativa. Se naquela a situação do "presente de Natal" era a que apresentava a maior diferença, agora isso ocorre nos outros dois casos.

Na classificação como corrupção, há uma variação acentuada conforme os entrevistados são mais jovens: 44% das pessoas entre 18 e 24 anos acham que "pedir a um amigo que trabalha no serviço público para ajudar a tirar um documento mais rápido do que o normal" é corrupção; na faixa etária de pessoas acima dos 60 anos, o percentual despenca para apenas 23%.

Na faixa dos 18 aos 24 anos, 54% consideram corrupção se aproveitar de contatos pessoais para conseguir que um empréstimo do governo saia mais rápido; o percentual é bem menor para aqueles acima de 60 anos: 37%.

Há indícios, portanto, de que está em curso uma importante mudança nos padrões morais do Brasil à medida que as gerações se sucedem. Deve-se salientar que esse dado não se opõe àquele apresentado no Gráfico 3 quanto ao uso do jeitinho. Os mais jovens podem realmente se utilizar mais do jeitinho do que os mais velhos. Porém, para eles, essas oportunidades são menos freqüentes do que para os mais velhos, pois eles consideram que as situações são mais corrupção e menos jeitinho do que os de mais idade.

Tabela 5

As pessoas que fazem parte da população economicamente ativa (PEA) tendem a considerar as situações mais como corrupção do que as pessoas que não fazem parte da PEA

	Pedir a um amigo que trabalha no serviço público para ajudar a tirar um documento mais rápido do que o normal é:			Um funcionário público receber um presente de Natal de uma empresa que ele ajudou a ganhar um contrato do governo é:			Alguém consegue um empréstimo do governo, que demora muito a sair. Conseguir liberar o empréstimo mais rápido porque tem um parente no governo é:		
	Favor	Jeitinho	Corrupção	Favor	Jeitinho	Corrupção	Favor	Jeitinho	Corrupção
Não-PEA	35	36	28	37	26	38	17	40	42
PEA	22	46	32	27	27	46	11	46	43

Trabalhar e não trabalhar têm impacto sobre a forma como as pessoas encaram a moralidade. Os que trabalham tendem a ser mais intolerantes com o jeitinho do que os que não trabalham, e isso se depreende do que consideram uso da "corrupção" na classificação. Além disso, na análise dos dados, é importante notar que há uma grande diferença, nas três situações, em relação ao uso do "favor". Os que não trabalham têm uma visão bem mais positiva (favor) das três situações.

Tabela 6

Os habitantes do Nordeste tendem a considerar as situações mais como favor do que as pessoas que moram nas demais regiões do Brasil

	Pedir a um amigo que trabalha no serviço público para ajudar a tirar um documento mais rápido do que o normal é:			Um funcionário público receber um presente de Natal de uma empresa que ele ajudou a ganhar um contrato do governo é:			Alguém consegue um empréstimo do governo, que demora muito a sair. Conseguir liberar o empréstimo mais rápido porque tem um parente no governo é:		
	Favor	Jeitinho	Corrupção	Favor	Jeitinho	Corrupção	Favor	Jeitinho	Corrupção
Nordeste	41	36	24	40	29	31	22	43	35
Norte	20	49	31	30	28	42	15	41	45
Centro-Oeste	21	40	38	30	24	46	9	46	45
Sul	21	42	36	27	28	45	11	44	45
Sudeste	20	47	33	25	25	50	9	46	46

A principal diferença regional é em relação aos habitantes do Nordeste, mais tolerantes com as três situações do que os das demais regiões do país. Na média dos três casos, 34% dos nordestinos as consideram "favor". Essa mesma média é de 18% para quem mora no Sudeste, e de 21% para quem habita o Norte, percentual mais elevado depois do Nordeste.

Pode-se afirmar que há uma diferença importante entre o padrão ético do Nordeste em relação às demais regiões do Brasil. O que para um nordestino é aceitável (tomando-se como indicação o padrão de respostas para as três situações anteriores), para um habitante de outra região tende a ser errado ou eticamente condenável. Essa ética faz com que a opinião pública nordestina seja mais tolerante com acontecimentos que em outra região do Brasil tenderiam a ser considerados corrupção. A capacidade de indignação e de combate à corrupção da população nordestina é menor pelo simples fato de sua concepção ética ser – na média – diferente da do restante do Brasil.

Tabela 7

As pessoas de escolaridade mais alta tendem a considerar as situações mais como corrupção do que as de escolaridade mais baixa

	Pedir a um amigo que trabalha no serviço público para ajudar a tirar um documento mais rápido do que o normal é:			Um funcionário público receber um presente de Natal de uma empresa que ele ajudou a ganhar um contrato do governo é:			Alguém consegue um empréstimo do governo, que demora muito a sair. Conseguir liberar o empréstimo mais rápido porque tem um parente no governo é:		
	Favor	Jeitinho	Corrupção	Favor	Jeitinho	Corrupção	Favor	Jeitinho	Corrupção
Analfabeto	62	19	19	57	23	20	42	31	27
Até a 4ª série	40	32	27	41	31	28	21	40	39
Da 5ª à 8ª série	25	42	33	34	25	41	11	44	45
Ensino médio	12	51	36	22	26	52	5	47	48
Superior ou mais	10	59	31	5	23	72	4	57	39

As diferenças mais importantes entre os brasileiros quanto à classificação moral das situações do dia-a-dia ocorrem entre as faixas de escolaridade. De um modo geral, à medida que a escolaridade aumenta, as três situações passam a ser consideradas corrupção numa proporção maior. A maior variação é para o caso do "presente de Natal": um mínimo de 20% entre os analfabetos disseram tratar-se de corrupção, enquanto um máximo de 72% das pessoas com nível superior ou mais consideraram corrupção.

Nas outras duas situações, a classificação "corrupção" varia de 19% a 36% (tirar um documento mais rápido) e de 27% a 48% (obter a liberação do empréstimo com maior rapidez). Há um fenômeno interessante nesses casos. Ao se passar da faixa de pessoas com ensino médio para o superior, diminui a proporção dos que afirmam se tratar de corrupção e aumenta o percentual dos que as classificam como jeitinho. As pessoas de escolaridade mais elevada se tornam moralmente mais tolerantes em relação a essas situações.

Trata-se de uma clara indicação de que o fenômeno do jeitinho – que é essa zona cinzenta moral entre o certo e o errado – não será combatido simplesmente com a elevação do nível de escolaridade da população brasileira. Pelo que os dados indicam, o aumento da escolaridade certamente levará as pessoas a se oporem mais ao jeitinho. Porém, os mesmos dados mostram que há limites para isso e que esses limites estão justamente na faixa mais elevada de educação.

O jeitinho é certo ou errado?

Ao perguntar se o jeitinho é certo ou errado, a PESB obteve resultados impressionantes. A questão divide a opinião dos brasileiros: exatamente metade da população acha correto ao passo que a outra metade considera errado. Ou seja, vivemos em um país moralmente dividido e ambíguo.

Tabela 8

O jeitinho é certo ou errado?

Sempre certo	9
Certo na maioria das vezes	41
Errado na maioria das vezes	32
Sempre errado	18

A diferença básica não é entre as proporções, mas na intensidade. Aqueles que consideram o jeitinho errado são mais enfáticos, uma vez que 18% o consideram *sempre* errado e apenas 9% o avaliam como *sempre* certo.

Na análise da seção anterior, mostrou-se que o fato de morar em capital ou fora dela, a idade, a condição de pertencer ou não à população economicamente ativa, a região do país e a escolaridade estão relacionados com os padrões de moralidade aplicados às três situações que mais diferenciam a população brasileira. Porém, quando se avalia o julgamento que a população faz do jeitinho, morar em capital e pertencer à PEA perdem completamente a importância.

As Tabelas 9 a 11 mostram os resultados para as variáveis relevantes: idade, região e escolaridade.

Tabela 9

Os jovens consideram o jeitinho certo e os mais velhos o consideram errado

	Certo	Errado
18 a 24	56	44
25 a 34	52	48
35 a 44	54	46
45 a 59	44	56
60 ou mais	43	57

Os resultados deixam evidente que há uma inflexão importante aos 45 anos de idade. Até essa idade, predominam aqueles que consideram o jeitinho certo (soma do "sempre certo" com o "certo na maioria das vezes"), e a partir daí, predominam os que o consideram errado.

Tabela 10

A maioria dos nordestinos considera o jeitinho certo e a maioria dos habitantes do Sul e Sudeste o considera errado

	Certo	Errado
Nordeste	57	43
Norte	53	47
Centro-Oeste	50	50
Sudeste	47	53
Sul	46	54

A grande diferença no julgamento que a população faz do jeitinho é entre Nordeste, de um lado, e Sul e Sudeste, do outro. Os resultados indicam que nas regiões Sul e Sudeste o jeitinho é menos tolerado, ao passo que no Nordeste acontece o extremo oposto. Isso é importante porque indica, com bastante clareza, que – na média – não apenas quem mora no Nordeste é mais tolerante com situações consideradas erradas no Sul e no Sudeste, mas que, mesmo quando se trata de algo ambíguo – o jeitinho –, no Nordeste isso tende a ser visto mais como positivo (certo) do que como negativo (errado).

Pode-se perceber que, para aqueles que acreditam que o jeitinho mina e solapa as bases da cidadania moderna, uma vez que a noção de direitos se relaciona com a clareza quanto ao que é certo e o que é errado, o Nordeste é a região do país que mais tem a fazer para realizar o ideário da cidadania liberal.

Tabela 11

Quanto mais elevada a escolaridade menor a tolerância em relação ao jeitinho

	Certo	Errado
Analfabeto	57	43
Até a 4ª série	51	49
Da 5ª à 8ª série	58	42
Ensino médio	48	52
Superior ou mais	33	67

Os resultados da pesquisa indicam que se a sociedade brasileira continuar a expandir seu sistema educacional e a massificar o ensino superior, à medida que as gerações mais velhas forem sendo substituídas pelas gerações mais jovens, haverá uma forte rejeição tanto do jeitinho quanto da corrupção. Há, porém, uma ressalva importante: o ponto principal de inflexão nesse julgamento está no nível mais elevado de escolaridade, o superior. Isso revela o quão forte é o jeitinho na sociedade brasileira, e, conseqüentemente, mostra a enorme dificuldade que terão de enfrentar aqueles que o consideram um inimigo da cidadania.

Jeitinho, corrupção e os resultados da PESB

A Pesquisa Social Brasileira mostra que o jeitinho está muito difundido e enraizado na sociedade brasileira. Ficou também evidente que há divisões importantes quando se trata de utilizá-lo para classificar situações corriqueiras do dia-a-dia. Os jovens pensam diferente dos mais velhos; pessoas de escolaridade mais baixa são mais tolerantes em relação a situações menos aceitáveis para os de escolaridade mais elevada; o que os nordestinos vêem mais como "favor" os moradores do Sul e Sudeste consideram mais como "jeitinho" ou "corrupção". Essa combinação entre a ampla disseminação do jeitinho, a discordância quanto ao seu julgamento (se certo ou errado) e o seu uso explica, em grande medida, boa parte dos conflitos que os brasileiros enfrentam na rotina diária.

É comum que indivíduos com diferentes visões de mundo quanto à moralidade venham a se encontrar em filas de banco e de supermercado e enfrentem situações nas quais tenham que expor argumentos morais. Poucos são os brasileiros que nunca tiraram proveito de um jeitinho ou quebraram uma regra, tornando favorável uma posição antes desfavorável. Da mesma forma, não há nada mais comum para nós do que reivindicar um tratamento equânime diante de regras e leis quando outras pessoas tentam burlá-las em proveito próprio. Porém, é possível ter uma visão positiva do jeitinho?

Um dos argumentos favoráveis é que ele funciona como uma estratégia de navegação social. Diante de um Estado muito burocratizado, que com freqüência opera segundo leis contraditórias e rígidas, num modelo kafkiano, o jeitinho permite que se tenha acesso a direitos que de outra forma jamais se alcançariam. É um recurso ao alcance dos que têm as habilidades e o conhecimento necessários para "dar um jeitinho".

Há ainda as situações em que tudo está previsto para funcionar, porém nada funciona: o atendimento é ruim, as pessoas estão pouco motivadas, faltam recursos etc. O jeitinho viria em socorro das vítimas dessa ineficiência, permitindo, do mesmo modo que no exemplo anterior, que os seus hábeis operadores tenham acesso a determinados direitos.

Por fim, outro argumento favorável é que o jeitinho possibilita a quebra das relações hierárquicas que caracterizam a sociedade brasileira. Como todos conhecem e podem recorrer a seus códigos e procedimentos, ele permite que pessoas dos mais diferentes grupos sociais alcancem seus objetivos. Em situações hierárquicas, apenas determinados indivíduos podem quebrar as regras gerais. O jeitinho democratiza de forma radical essa possibilidade.

O que se conclui a partir dessa pesquisa é que a opinião pública brasileira reconhece e aceita, em grande medida, que se recorra ao jeitinho como padrão moral.* Além disso, há uma divisão profunda (50% *versus* 50%) entre os que o consideram certo e os que o condenam. Por isso, se os níveis de corrupção no Brasil provavelmente estão relacionados à aceitação social do jeitinho – que é grande e bastante enraizada entre nós –, os resultados da pesquisa indicam que temos um longo caminho pela frente se o que desejamos é o efetivo combate à corrupção.

*Trata-se de um padrão cultural pelo simples fato de não existir moralidade em abstrato, mas sim baseada na cultura e nas práticas sociais aceitas e rejeitadas.

capítulo 2

Você sabe com quem está falando?

capítulo 2

"Patrão, o trem atrasou
Por isso estou chegando agora
Trago aqui o memorando da Central
O trem atrasou meia hora
O senhor não tem razão
Para me mandar embora (patrão)

O senhor tem paciência
É preciso compreender
Sempre fui obediente
Reconheço o meu dever"

"O trem atrasou", de Arthur Vilarinho, Estanislau Silva e Paquito

Você já foi bem tratado em razão de sua origem social ou de seu círculo de relações pessoais? E o inverso: você conhece alguém que já foi maltratado por causa de sua origem social? A resposta a essas questões dá a medida de situações comuns no Brasil, onde grande parte da população concorda, na prática, com o ditado popular "cada macaco no seu galho". Cada um deve saber qual o seu lugar na sociedade e se comportar de acordo com ele.

A PESB mostra que o brasileiro médio tem uma visão de mundo hierárquica. Mas o país não é um bloco monolítico: a população brasileira é dividida. Há pessoas mais hierárquicas e pessoas mais igualitárias.

Roberto DaMatta imortalizou esse caráter predominante na sociedade brasileira por meio da sentença, ainda muito usada, "você sabe com quem está falando?". Os valores hierárquicos devem ser entendidos em oposição aos valores igualitários. Os que compartilham de uma visão hierárquica de mundo consideram que há posições predefinidas e, portanto, deve-se esperar que cada um desempenhe o papel determinado por sua condição social. Assim, num contrato de casamento hierárquico, cabe ao homem zelar pelo sustento da família, dedicando-se integralmente ao trabalho, ao passo que a mulher deve cuidar dos filhos e da casa. Serão esses os papéis principais que homem e mulher terão de cumprir na vida familiar, cada um desempenhando as atribuições que se esperam de seu sexo.

Na visão de mundo igualitária, não há papéis socialmente predefinidos. A princípio, todos os indivíduos são iguais e eventuais desigualdades ou diferenças em papéis sociais são estabelecidas apenas nos limites de um contrato. Esse contrato não é a simples consagração de valores sociais predominantes, mas algo acordado pelas partes, pelos indivíduos que o selam. Num exemplo de relação igualitária na vida familiar, homem e mulher definem o tipo de relacionamento que consideram mais adequado a seu caso.

Pode até ser que estabeleçam papéis claramente definidos, o que não será um simples reflexo dos valores sociais predominantes. Ao contrário, esse contrato poderá ser modificado a qualquer momento pela livre escolha das partes que o selaram. Sem papéis predefinidos, pode ocorrer que o homem cuide dos filhos e da casa e a mulher, do sustento da família; cabe a cada casal escolher a melhor forma de relacionamento.

É SEMPRE NOTÍCIA NO BRASIL...

A GUARDA MUNICIPAL VAI PROCESSAR O DESEMBARGADOR EDUARDO MAYR, que levou a guarda Rosimeri Dionísio à delegacia por ter multado um carro de sua família estacionado em local proibido – *O Globo*, 12/7/2002, p. 1 e 13.

COMISSÃO DE ÉTICA APURA "CARTEIRADA" DE GENERAL. O comandante do Exército, general Francisco de Albuquerque, será convocado pela Comissão de Ética Pública a prestar esclarecimentos por ter exigido que um avião da TAM, que já taxiava na pista, em Campinas, voltasse para buscá-lo – *O Globo*, 7/3/2006, p. 1 e 3.

Ex-autoridades vão ter foro privilegiado. Senado aprova projeto que beneficia ex-presidentes, governadores, ministros e prefeitos; PT facilitou tramitação – *O Globo*, 18/12/2002, p. 11.

FH vai sancionar a lei do foro privilegiado – *O Globo*, 25/12/2002, p. 5.

Cineastas não aparecem e a polícia decide intimá-los. Delegado ameaça abrir processo por desobediência – *O Globo*, 29/8/2002, p. 23.

Quando a vaga tem dono. Loteamento de ruas por moradores e comerciantes irrita os motoristas – *O Globo*, 17/11/2002, p. 32.

Presidente da CET-Rio faz blitz e acaba na polícia. Justino Lopes é detido por policiais federais quando reprimia estacionamento irregular perto da sede da PF – *O Globo*, 27/8/2002, p. 19.

Cinco dos sete acusados de matar a pontapés e cadeiradas o garçom Nelson Simões dos Santos, em Porto Seguro, chegam ao fórum da cidade para acompanhar o depoimento das testemunhas. Diante do juiz, duas das quatro testemunhas mudaram os depoimentos que deram à polícia e afirmaram não ter visto os rapazes na cena do crime, em 17 de outubro – *O Globo*, 22/11/2002, p. 2.

A cerca de 30 metros do condomínio onde mora a governadora Benedita da Silva, em Jacarepaguá, está sendo construída uma cabine da PM, com banheiro e cozinha. A construção da cabine foi determinada pelo comando da PM, por causa dos assaltos e furtos de carros na região – *O Globo*, 28/12/2002, p. 2.

Outro aspecto importante nessas diferentes concepções de mundo é a forma como as pessoas se concebem. Como indicam as próprias denominações, na visão igualitária elas se vêem como iguais, ao contrário do que acontece na concepção hierárquica. Na hierárquica, há uma pirâmide em que alguns ocupam o topo e a maioria fica na base. Espera-se que um mande e o outro obedeça; que um sirva enquanto o outro é servido, e assim por diante.

Não é por outro motivo que a chave da resolução de conflito hierárquica é: "você sabe com quem está falando?" Alguém superior, capaz de dar uma "carteirada" ou de lançar mão de contatos pessoais, títulos, honrarias ou equivalentes, utiliza qualquer um desses recursos para fazer valer seus interesses num conflito com alguém sem os mesmos trunfos. Se ambos compartilham de uma visão de mundo hierárquica, o conflito será facilmente resolvido em favor do superior e contra o inferior.

Na situação igualitária, a chave para tais conflitos é outra: "quem você pensa que é?" Ninguém é especial e todos estão submetidos a regras ou leis gerais e universais. Não há títulos, contatos pessoais, insígnias, ou quaisquer outras vantagens que tornem alguém tão especial a ponto de não precisar se submeter a regras gerais. Todos são iguais perante a lei, sempre. É verdade que existem situações de desigualdade em sociedades nas quais predomina uma ética igualitária. Porém, elas são única e exclusivamente estabelecidas por contratos e estão rigorosamente circunscritas a esses limites.

É assim que, em uma sociedade de mentalidade profundamente igualitária, como são os Estados Unidos, o patrão manda e o empregado obedece. Isso foi contratualmente estabelecido e é o que assegura que ambos alcançarão seus objetivos. Todavia, a assimetria entre os dois não vai além do contrato. Não é porque o patrão é patrão que o empregado deve obedecê-lo fora das relações de trabalho. Essa mesma razão não obriga o empregado a tratar o patrão de forma especial, a não ser que isso seja parte do contrato sobre o qual ambos acordaram.

Desse modo, uma grande diferença entre os dois tipos de sociedade pode ser identificada quando se consideram assimetrias baseadas nas posses e no dinheiro. Ser rico nos Estados Unidos não faz de quem enriquece merecedor de nenhum tipo especial de deferência, nem tampouco de privilégios ou vantagens. Ricos, pobres e classe média são tratados da mesma forma, seja pela lei, pelas instituições ou nas relações sociais mais corriqueiras. Nos Estados Unidos, as pessoas se dirigem umas às outras pelo pronome de tratamento you (você) e expressões como "senhor", "doutor" ou equivalentes simplesmente não são utilizadas.*

Em uma sociedade com mentalidade hierárquica – como é o caso do Brasil –, ocorre o contrário. É comum que pessoas que têm dinheiro, ou mesmo que aparentam possuí-lo pela forma como se comportam ou se vestem, recebam tratamento especial e vantagens,** mesmo que não o peçam. Que os que aparentam ser ricos sejam mais bem tratados em repartições públicas do que os que aparentam ser pobres. As assimetrias vão além de qualquer contrato. O patrão será tratado como patrão e o empregado como empregado mesmo fora das relações de trabalho.

Vale sublinhar que há uma importante interação entre estrutura social e visão de mundo. O igualitarismo norte-americano nasce e prospera em uma sociedade sem nobreza ou coroa, na qual os primeiros imigrantes pertenciam todos ao mesmo grupo social e a divisão das terras assegurou que, na origem da ocupação territorial no país, não houvesse grandes diferenças econômicas. Em tudo o oposto do que aconteceu no Brasil. A matriz social e econômica que deu origem à sociedade norte-americana foi profundamente igualitária, e acompanhada de uma visão de mundo igualmente igualitária.***

Se o emblema da colonização americana foi o do pequeno agricultor, cultivando as terras de sua propriedade apenas com o trabalho da família, o ícone de nossa formação social foi o senhor de engenho, com grandes propriedades e muitos escravos. Formava-se ali uma sociedade economicamente bastante assimétrica, em que poucos eram proprietários de grandes extensões territoriais e muitos (escravos e trabalhadores livres) não tinham nenhum pedaço de terra.

---

*A clássica passagem de Alexis de Tocqueville em *O antigo regime e a Revolução* mostra que o uso da palavra *gentleman* variava de acordo com o país. Quanto mais seletivo era o seu uso, menos democrática era a sociedade, no sentido de equalização das condições sociais. Tocqueville na verdade nos ensina que o uso da língua revela muito sobre as características ideológicas de uma sociedade.

**Não por acaso, em depoimentos de imigrantes pobres brasileiros nos Estados Unidos, eles destacam que uma das grandes vantagens de viver na terra do Tio Sam é que eles são tratados com dignidade, igual a qualquer outra pessoa, independentemente da posição social.

***Não se está fazendo aqui nenhuma afirmação de causalidade, ou de que a estrutura social causa os valores ou vice-versa. Está-se afirmando apenas que ambos estão associados.

Essa é a principal matriz social e econômica da formação do Brasil,* mas não a única. Há regiões no sul do país em que a divisão da propriedade fundiária seguiu padrões mais próximos dos Estados Unidos do que de nossa matriz social.** O fato é que sociedades social e economicamente hierárquicas também cultivaram uma visão de mundo hierárquica de relações sociais.

Em que pese a enorme importância da obra de Roberto DaMatta para a identificação desse caráter nas relações sociais no Brasil, essa visão de mundo hierárquica nunca foi mensurada por pesquisas de opinião. Não se trata de constatar o óbvio, mas de testar essa hipótese e avaliar como esse traço varia na população.

A tese antropológica de DaMatta está correta, mas os resultados da PESB permitem que sejam feitas algumas qualificações importantes. A antropologia é a ciência mais adequada quando se deseja fazer comparações *entre* dois ou mais grupos diferentes. O Brasil é comparado com os Estados Unidos. O Japão é comparado com a Índia. Os católicos são comparados aos judeus. A antropologia mapeia e revela com muita precisão as diferenças entre essas e muitas outras populações. Todavia, deixa de mostrar as diferenças *dentro* de cada grupo.

É correto afirmar que, na média, a população brasileira é mais hierárquica do que a norte-americana. Mas no Brasil há diferenças importantes quanto à aceitação de pontos de vista hierárquicos. Assim, como mostra nossa pesquisa, convivem no mesmo país pessoas – para tomar como referência a antropologia – mais brasileiras e mais norte-americanas. Será visto que "ser hierárquico" está associado a uma menor modernização da sociedade. À medida que aumentar a escolaridade média dos brasileiros haverá uma diminuição desse tipo de mentalidade. É mais uma qualificação importante mostrada pela antropologia: a concepção hierarquizante de sociedade tende mais a ser uma variável sociológica do que um atributo antropológico da população brasileira.

---

*Gilberto Freyre, *Casa-grande e senzala*, São Paulo, Global, 2004.

**Esse é o caso, por exemplo, dos minifúndios do Vale do Itajaí, em Santa Catarina. É uma região de ocupação alemã que preservou algumas características importantes do país de origem dos imigrantes: cidades médias e pequenas, descentralização econômica, e uma relativa igualdade na distribuição das terras, cultivadas pelos proprietários e suas famílias, em vez de utilizar mão-de-obra escrava, como ocorreu no Nordeste brasileiro.

As perguntas desenvolvidas pela PESB (Quadro 1) medem a visão de mundo. Por meio delas, pode-se perceber que a noção de hierarquia não é a que caracteriza as sociedades igualitárias: hierarquia circunscrita a contratos ou definida pelo mérito. O conceito de hierarquia mensurado pelas perguntas é o estabelecido pelas posições sociais, no trabalho, na família ou em outra relação social.

Nota-se claramente que cada pergunta induz duas alternativas: a primeira é a resposta igualitária, a segunda, a hierárquica. Apenas a primeira pergunta da pesquisa tem três possibilidades de resposta, sendo a primeira igualitária e as outras duas hierárquicas. Para efeito de análise e apresentação dos dados, essas duas respostas foram tabuladas como sendo apenas uma.

Quadro 1

Perguntas para medir a visão hierárquica de mundo

1. A patroa diz para a empregada doméstica que ela pode assistir televisão na sala junto com ela. O que o(a) senhor(a) acha que a empregada DEVERIA fazer?

a) Ela deveria sentar no sofá junto da patroa e assistir TV com ela

b) Ela deveria assistir TV na sala com a patroa, mas pegar a cadeira da cozinha

c) Ela deveria assistir TV no seu quarto

2. Os moradores de um edifício dizem para os porteiros e empregadas domésticas que eles podem usar o elevador social. O que o(a) senhor(a) acha que os empregados do prédio DEVERIAM fazer?

a) Eles deveriam usar o elevador social

b) Eles deveriam continuar usando o elevador de serviço

3. A filha de 18 anos quer viajar com as amigas. O que os pais DEVERIAM fazer?

a) Os pais deveriam deixar a filha decidir o que ela quiser

b) Os pais deveriam decidir e dizer se a filha pode ou não viajar

4. O empregado se dirige ao patrão como "senhor", mas o patrão diz que pode ser tratado por "você". O que o(a) senhor(a) acha que o empregado DEVERIA fazer?

a) Ele deveria passar a chamar o patrão de "você"

b) Ele deveria continuar chamando o patrão de"senhor"

5. Um porteiro ganha na megassena. O que o(a) senhor(a) acha que ele DEVERIA fazer?

a) Ele deveria comprar uma casa numa área rica da cidade

b) Ele deveria continuar morando no mesmo bairro, mas deveria mudar para uma casa melhor

6. O filho do patrão diz que vai se casar com a filha do empregado. O que o(a) senhor(a) acha que o patrão DEVERIA fazer?

a) O patrão deveria deixar seu filho se casar com a filha do empregado

b) O patrão deveria proibir seu filho de se casar com a filha do empregado

7. O patrão diz ao seu empregado que ele pode tomar banho na piscina do edifício. O que o(a) senhor(a) acha que o empregado DEVERIA fazer?

a) O empregado deveria tomar banho na piscina

b) O empregado deveria agradecer, mas não deveria tomar banho na piscina

As sete perguntas combinam situações de trabalho e de relações familiares. A pergunta 3 é feita a partir de uma situação exclusivamente familiar, e a pergunta 5 refere-se ao local de moradia. As perguntas 1, 2, 4, 6 e 7 tratam exclusivamente da hierarquia a partir de relações de trabalho. As pessoas com mentalidade hierárquica sempre escolherão a resposta na qual o empregado, mesmo fora do trabalho, mantém o papel social de empregado (ou seja, de quem obedece e é inferior). Isso pode ocorrer em momentos de entretenimento e lazer (assistir televisão ou tomar banho de piscina), no tratamento diário ou nos locais pelos quais é permitido que os empregados passem (elevador social ou de serviço).

Vale lembrar que em países igualitários sequer existe elevador de serviço, ou mesmo elevadores diferentes para as pessoas. Quando muito, há um elevador de carga e outro para as pessoas. Sejam patrões ou empregados, o elevador é sempre o mesmo.

Tabela 1

A mentalidade hierárquica no Brasil (em percentuais)

1) Atitude que a empregada doméstica deveria ter se a patroa diz que ela pode assistir televisão na sala junto com ela	
Sentar no sofá junto da patroa e assistir TV com ela	59
Assistir TV na sala, mas pegar a cadeira da cozinha, somada com ir ver no seu próprio quarto	41
2) Atitude que os empregados de um edifício deveriam ter se os moradores dizem que eles podem usar o elevador social	
Usar o elevador social	44
Continuar usando o elevador de serviço	56
3) Atitude que os pais de uma filha de 18 anos deveriam ter se a filha de 18 anos quiser viajar com as amigas	
Deixar a filha decidir o que ela quiser	37
Decidir e dizer se a filha pode ou não viajar	63
4) Atitude que o empregado deveria ter se o patrão diz que pode ser tratado por "você"	
Passar a chamar o patrão de "você"	39
Continuar chamando o patrão de "senhor"	61
5) Atitude que um porteiro deveria ter ao ganhar na megassena	
Comprar uma casa numa área rica da cidade	21
Continuar morando no mesmo bairro, em uma casa melhor	79
6) Atitude que o patrão deveria ter se o filho diz que vai se casar com a filha do empregado	
Deixar o filho se casar com ela	91
Proibir o filho de se casar com a filha do empregado	9
7) Atitude que o empregado deveria ter se o patrão diz que ele pode tomar banho na piscina do edifício	
Tomar banho na piscina	35
Agradecer e não tomar banho na piscina	65

É bastante evidente a força da mentalidade hierárquica no Brasil. Excetuando-se as situações 1 e 6, em todas as outras mais da metade dos brasileiros consideram que a solução do dilema social deve ser hierárquica. Ter dinheiro, isto é, ganhar na megassena (situação 5), não é suficiente para que um porteiro (alguém que ocupa a base da pirâmide social de *status* e renda) possa se mudar para uma área rica da cidade. Como diz o ditado popular, "cada macaco no seu galho" – como porteiro, ele deve saber qual é o seu lugar social. Para quem defende o ponto de vista hierárquico, esse lugar não é determinado exclusivamente pelo dinheiro. Por mais dinheiro que tenha, ele sempre será um porteiro e como tal não deve se mudar para uma área rica da cidade.

O segundo percentual mais elevado de respostas hierárquicas (65%) é para o empregado que recebe do patrão a permissão de tomar banho de piscina. Trata-se de uma situação na qual empregado e patrão teriam acesso ao mesmo tipo de entretenimento, desde que com o consentimento do último. Praticamente 2/3 da população brasileira rejeitam a possibilidade de ambos desfrutarem da piscina.

Note-se que é um divertimento que envolve o corpo e a higiene. Portanto, ao usar a mesma piscina, patrão e empregado teriam contato corporal indireto. Sabe-se que, nesses casos, o bom comportamento exige que os usuários não sujem ou poluam a água. Sem esquecer que o argumento de um mau comportamento é sempre levantado pelos que são contrários às piscinas públicas ou semipúblicas. Mais uma vez, predomina a lógica hierárquica: cada um deve reconhecer e aceitar os condicionamentos de sua posição social, que vão muito além de contratos ou de posições momentâneas definidas pelo mercado.

O ponto de vista hierárquico predomina nas situações 3, 4 e 2 respectivamente, nas quais é defendido por algo em torno de 60% da população brasileira. Para 63%, a maioridade atingida aos 18 anos de idade não é suficiente para que uma moça decida se vai ou não viajar com as amigas. Trata-se de um enorme contraste com o que ocorre em sociedades individualistas e igualitárias, nas quais os 18 anos de idade são a linha que demarca o "ir embora de casa". A expectativa de pais e filhos (sejam eles homens ou mulheres) nos Estados Unidos e na Grã-Bretanha é que ao completarem 18 anos os filhos sejam completamente independentes. É nessa idade que eles deixam a casa dos pais e estabelecem sua própria residência, seja em um alojamento de universidade ou em um pequeno apartamento alugado em áreas menos valorizadas da cidade.*

Na situação 4, 61% dos brasileiros acham que o empregado deve continuar a se dirigir ao patrão pelo tratamento formal de "senhor", mesmo quando ele pede para ser chamado de "você". Desde a clássica passagem de Alexis de Tocqueville em *O antigo regime e a Revolução*, sabe-se que os pronomes de tratamento são um importante elemento de diferenciação e hierarquização. Sociedades e pessoas hierárquicas utilizam pronomes diferentes para pessoas diferentes; provavelmente "senhor" ou "doutor" para patrões e "você" ou "seu" para empregados. Esse tratamento pode ser identificado até mesmo entre pais e filhos, pelo uso das palavras "senhor" e "senhora", ao passo que em famílias igualitárias todos se dirigem uns aos outros por meio do "você". Tal como nos Estados Unidos, onde todos se tratam por *you* (você).

Mais da metade da população brasileira (56%) defende a existência do elevador de serviço e sua utilização pelos empregados, mesmo que lhes seja facultado o uso do elevador social. Mais uma vez, é impressionante o elevado grau de apoio e adesão aos valores hierárquicos. Mesmo quando os patrões pedem a seus empregados que não assumam comportamentos hierárquicos, ainda assim 56% da população defendem que eles continuem sendo submissos.

Os dados das Tabelas 2 a 7 irão mostrar que – tomando-se apenas as três situações nas quais a discordância é maior** – é possível perceber que o Brasil está dividido entre, de um lado, as pessoas que moram em capitais, são mais jovens, têm escolaridade mais elevada e fazem parte da população economicamente ativa (PEA); e, do outro, os que moram em cidades que não são

*É comum que livros de aconselhamento para pais escritos por autores de origem anglo-saxã afirmem que eles devem preparar seus filhos para ir embora de casa na fase que vai dos 15 aos 18 anos. O autor deste livro conheceu uma família na Grã-Bretanha em que um jovem não quis sair de casa quando completou 18 anos. A partir de então, os pais passaram a lhe cobrar aluguel para que continuasse morando na casa deles, o que acabou demarcando claramente a independência entre eles a partir de então: a casa já não era mais do filho.

**Essas situações foram selecionadas depois que uma análise estatística permitiu identificar quais das sete situações sobre a visão de mundo hierárquica eram as que mais diferenciavam a população.

capitais, no Nordeste, são mais velhos, têm escolaridade mais baixa e não fazem parte da PEA. Foram identificadas diferenças importantes entre homens e mulheres apenas em duas das três situações selecionadas, com destaque para tratar o patrão por "você" ou por "senhor": as mulheres são mais hierárquicas do que os homens.

Tabela 2

Quem mora nas capitais tende a ser menos hierárquico do que quem mora fora das capitais

	Atitude que os empregados de um edifício deveriam ter se os moradores dizem que eles podem usar o elevador social	
	Usar o elevador social	Continuar usando o elevador de serviço
Não mora na capital	40	60
Mora na capital	53	47

Quando se divide a população entre os que moram e os que não moram em capitais, só há diferenças relevantes na situação do "elevador social". Fica claro que os que moram em capitais são menos hierárquicos do que aqueles que vivem nas demais cidades. É digno de destaque o fato de aparecerem variações importantes apenas em uma das três situações que mais diferenciam a população. Isso indica que a divisão capital *versus* não-capital não é tão importante para se entender esse fenômeno quanto outras segmentações que serão vistas adiante.

Tabela 3

Os habitantes do Nordeste e do Centro-Oeste são os mais hierárquicos e os habitantes do Sul, os menos hierárquicos

	Atitude que a empregada doméstica deveria ter se a patroa diz que ela pode assistir televisão na sala junto com ela		Atitude que os empregados de um edifício deveriam ter se os moradores dizem que eles podem usar o elevador social		Atitude que o empregado deveria ter se o patrão diz que pode ser tratado por "você"	
	Sentar no sofá junto da patroa e assistir TV com ela	Assistir TV na sala, mas pegar cadeira na cozinha/no seu quarto	Usar o elevador social	Continuar usando o elevador de serviço	Passar a chamar o patrão de "você"	Continuar chamando o patrão de "senhor"
Norte	68	32	39	61	36	64
Centro-Oeste	49	51	38	62	37	63
Nordeste	55	45	33	67	31	69
Sudeste	59	41	49	51	41	59
Sul	72	28	52	48	48	52

Os resultados por grandes regiões do Brasil deixam claro que os habitantes do Nordeste são os que têm a visão de mundo mais hierárquica, seguidos dos habitantes do Centro-Oeste, Norte, Sudeste e Sul. Na verdade, considerando-se os resultados para as três situações da Tabela 3, há pouquíssima diferença entre quem mora no Sudeste e no Norte, e entre quem reside no Nordeste e no Centro-Oeste. Sendo assim, no extremo de mais hierárquico tem-se Nordeste e Centro-Oeste, no extremo de mais igualitário tem-se o Sul, e no meio, as outras duas regiões. Ou seja, no Nordeste e no Centro-Oeste é mais comum que a hierarquia contratual entre patrão e empregado vá muito além dos limites do contrato do que no Sul do Brasil.

Tabela 4

As mulheres são mais hierárquicas do que os homens

	Atitude que o empregado deveria ter se o patrão diz que pode ser tratado por "você"	
	Passar a chamar o patrão de "você"	Continuar chamando o patrão de "senhor"
Masculino	41	59
Feminino	37	63

Da mesma maneira que ocorre quando se analisam as diferenças de mentalidade entre moradores de capitais *versus* não-capitais, ao se avaliar o recorte por sexo apenas uma das três situações selecionadas apresenta variações relevantes. Fica claro pelo resultado que as mulheres são mais hierárquicas do que os homens. Ainda que pareça pequena, a diferença de 4 pontos percentuais entre as respostas hierárquicas de homens e mulheres (59% x 63%) é estatisticamente significativa.

Tabela 5

Os mais velhos são mais hierárquicos do que os mais jovens

	Atitude que a empregada doméstica deveria ter se a patroa diz que ela pode assistir televisão na sala junto com ela		Atitude que os empregados de um edifício deveriam ter se os moradores dizem que eles podem usar o elevador social		Atitude que o empregado deveria ter se o patrão diz que pode ser tratado por "você"	
	Sentar no sofá junto da patroa e assistir TV com ela	Assistir TV na sala, mas pegar cadeira na cozinha/no seu quarto	Usar o elevador social	Continuar usando o elevador de serviço	Passar a chamar o patrão de "você"	Continuar chamando o patrão de "senhor"
18 a 24	62	38	44	56	40	60
25 a 34	63	37	44	56	46	54
35 a 44	61	39	47	53	37	63
45 a 59	55	45	46	54	39	61
60 ou mais	55	45	33	67	30	70

As empregadas domésticas tendem a ser tratadas com mais igualdade pelos mais jovens do que pelos mais velhos. Na média, 38% daqueles que têm entre 18 e 44 anos defendem uma solução hierárquica para o dilema da empregada que é convidada a assistir TV na sala junto com a patroa; esse percentual sobe para 45% a partir dos 45 anos de idade. Na segunda situação, a do elevador social, é apenas a partir dos 60 anos de idade que se verifica uma mudança significativa em favor de um tratamento mais hierárquico. Até os 59 anos, o grau desse tipo de mentalidade é muito parecido para todas as faixas de idade. Na terceira situação – o tratamento por "você" *versus* "senhor" –, os mais hierárquicos são novamente aqueles que têm 60 anos ou mais (70%) e os menos hierárquicos são os de 25 a 44 anos de idade.

Considerando-se as três situações em conjunto, há dois saltos importantes: um que ocorre entre os mais hierárquicos, que são os que têm 60 anos ou mais, para os medianamente hierárquicos, que são os que têm entre 45 e 59 anos. E depois destes, para os menos hierárquicos, que são as três faixas de idade tomadas em conjunto. Ou seja, os principais pontos de inflexão na visão de mundo hierárquica são as idades de 45 e 60 anos.

Tabela 6

As pessoas que fazem parte da População Economicamente Ativa (PEA) tendem a ser menos hierárquicas do que as que não fazem parte da PEA

	Atitude que a empregada doméstica deveria ter se a patroa diz que ela pode assistir televisão na sala junto com ela		Atitude que os empregados de um edifício deveriam ter se os moradores dizem que eles podem usar o elevador social		Atitude que o empregado deveria ter se o patrão diz que pode ser tratado por "você"	
	Sentar no sofá junto da patroa e assistir TV com ela	Assistir TV na sala, mas pegar cadeira na cozinha/no seu quarto	Usar o elevador social	Continuar usando o elevador de serviço	Passar a chamar o patrão de "você"	Continuar chamando o patrão de "senhor"
Não-PEA	55	45	41	59	35	65
PEA	61	39	45	55	41	59

Os dados da Tabela 6 revelam claramente que as pessoas que trabalham são menos hierárquicas do que aquelas que não fazem parte da PEA. Isso pode ser verificado em todas as três situações analisadas.

Tabela 7

As pessoas de escolaridade mais alta tendem a ser menos hierárquicas do que as de escolaridade mais baixa

	Atitude que a empregada doméstica deveria ter se a patroa diz que ela pode assistir televisão na sala junto com ela		Atitude que os empregados de um edifício deveriam ter se os moradores dizem que eles podem usar o elevador social		Atitude que o empregado deveria ter se o patrão diz que pode ser tratado por "você"	
	Sentar no sofá junto da patroa e assistir TV com ela	Assistir TV na sala, mas pegar cadeira na cozinha/no seu quarto	Usar o elevador social	Continuar usando o elevador de serviço	Passar a chamar o patrão de "você"	Continuar chamando o patrão de "senhor"
Analfabeto	47	53	24	76	32	68
Até a 4ª série	49	51	33	67	30	70
Da 5ª à 8ª série	55	45	38	62	35	65
Ensino médio	68	32	50	50	44	56
Superior ou mais	75	25	72	28	59	41

A relação entre escolaridade e visão de mundo hierárquica é muito forte. Em todas as situações, quanto mais elevada for a escolaridade mais igualitárias as pessoas são. Ainda que haja variação entre cada faixa de escolaridade, as diferenças mais importantes ocorrem quando se passa do ensino fundamental para ensino médio (da 5ª à 8ª série) e, em seguida, quando se passa desta faixa para o superior completo. Esses dados permitem antever que a mentalidade dos brasileiros se tornará mais igualitária à medida que a escolaridade média da população aumentar. Particularmente se esse aumento acontecer no ensino médio e no nível superior.

Hierarquia e autoritarismo

Pela primeira vez, o conceito de hierarquia da obra de Roberto DaMatta foi mensurado quantitativamente por meio de uma pesquisa. Os resultados confirmam várias de suas conclusões, entre elas a principal: o Brasil é uma sociedade regida predominantemente por uma lógica hierárquica. Por mais antipática que seja a expressão "você sabe com quem está falando?", e ainda que esteja quase em desuso, sua lógica e seu conteúdo são importantes e estão muito presentes no país. Além disso, a pesquisa revela que a hierarquia a que se refere DaMatta está relacionada com o autoritarismo já mensurado em muitos *surveys* sociológicos.*

Gráfico 1

Na média, quanto mais autoritário, mais hierárquico**

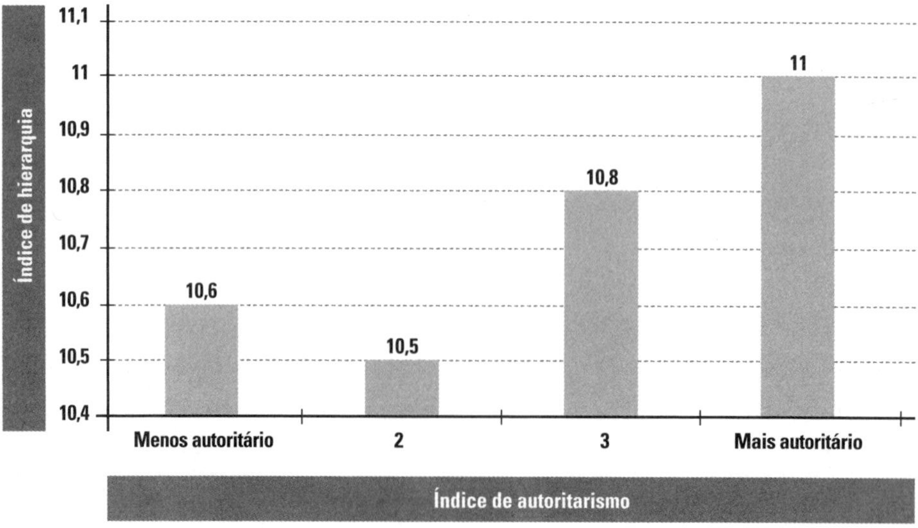

*Measures of Political Attitudes.

**O gráfico foi obtido cruzando-se as médias do índice de hierarquia com o índice de autoritarismo. O índice de hierarquia foi construído a partir da soma das sete perguntas da Tabela 1, e o índice de autoritarismo, somando-se os resultados de uma pergunta sobre proibição de protestos contra o governo. Foram apresentados sete tipos de protestos e para cada um deles perguntou-se se deveria ser sempre permitido, permitido na maioria das vezes, proibido na maioria das vezes ou sempre proibido. Os protestos eram: passeatas, comícios, greves, abaixo-assinados, bloqueio de estradas, ocupação de prédios públicos e ocupação de terras.

Os dados da Pesquisa Social Brasileira mostram que hierarquia e autoritarismo estão positivamente correlacionados. Ou seja, quanto mais hierárquica mais autoritária uma pessoa é.* Aqueles que acreditam que a relação patrão-empregado deve assegurar ao patrão a posição de superioridade, mesmo fora do trabalho, também são os que acreditam que os protestos contra o governo devem ser reprimidos. Há sempre alguém no topo da hierarquia, seja o patrão ou o governo; há um superior e um inferior e o primeiro tem mais direitos do que o segundo justamente por ser superior.

*Além de positiva, a correlação é significativa a 0,01.

capítulo 3

Cada um cuida do que é seu e o governo cuida do que é público

capítulo 3

Quem é dono desse beco?
quem é dono dessa rua?
de quem é esse edifício?
de quem é esse lugar?

é meu esse lugar
sou carioca, pô
eu quero meu crachá
sou carioca

"Rio 40 graus", de Fernanda Abreu

O pensamento sociológico e antropológico brasileiro é praticamente unânime em apontar o caráter patrimonialista da política nacional. Esse pensamento sublinha como os políticos se apropriam privadamente do que é público. Ainda que as causas desse fenômeno possam ser variadas (institucionais, econômicas ou culturais), o que se tem aqui é a comparação das práticas políticas nacionais com o critério liberal de ação pública.

Do ponto de vista liberal, ou republicano para alguns, o espaço público é claramente delimitado em oposição ao espaço privado. Essa delimitação implica duas lógicas diferentes de atuação: gerir a coisa pública demanda impessoalismo, regras gerais e universais, transparência e, conseqüentemente, utilização pública do espaço público e dos recursos obtidos por meio de impostos. Os recursos privados, na doutrina liberal, não estariam sujeitos a tais exigências. Eles são geridos única e exclusivamente de acordo com os interesses particulares de quem os possui.

À pesquisa de opinião interessa saber se o patrimonialismo – prática comum atribuída aos políticos e àqueles que tomam decisões quanto ao uso dos recursos públicos – é restrito a uma elite ou é mais amplo, contando com apoio social. No pensamento social brasileiro, há autores que defendem a opinião de que o Brasil teria uma cultura patrimonialista ou fatores que levariam a isso.

Um dos pioneiros no tema, Oliveira Vianna apontou o "complexo cultural" brasileiro, caracterizado pelo espírito pouco solidário e apolítico da população, em oposição ao complexo cultural democrático europeu, no qual o povo se reúne em assembléias para deliberar sobre os assuntos que lhe dizem respeito.

Na mesma vertente de análise, autores da importância de Sérgio Buarque de Holanda e Roberto DaMatta identificam o caráter antiliberal da sociedade brasileira. O primeiro aponta que no Brasil uma ética personalista, intimista, afetiva e sentimentalista sobrepuja sua inimiga liberal: a ética impessoal, racional e eficaz; o segundo chama atenção para o fato de que muitas vezes "a casa" engloba "a rua".

A rua é o ambiente público – na maioria das vezes, inóspito, autoritário e desolador. A casa é o ambiente privado do sentimento, do afeto da família e do que é pessoal. A rua é o espaço público de regras impessoais e a casa, o espaço privado do particularismo. Toda vez que a casa engloba a rua, a conseqüência é a utilização privada do que é público.

É sempre notícia no Brasil...

Não, obrigado. Excesso de ambulantes e panfletos transforma cidade em mercado persa – *O Globo*, 15/11/2006, p. 19.

Se essa calçada fosse minha eu mandava desocupar. Carros, camelôs, buracos e mesinhas de bares atrapalham o direito de ir e vir – *O Globo*, 13/11/2002, p. 13.

Prona é acusado de vender legenda. Deputada campeã de votos em SP teria exigido dinheiro para garantir vaga de candidato – *O Globo*, 13/11/2002, p. 12.

Roriz tentou facilitar ação de acusado de grilagem. Gravações divulgadas pela *Época* mostram que governador se comprometeu a barrar derrubada de cercas em loteamento – *O Globo*, 26/11/2002, p. 10.

Advogado: Benedita foi única a não deixar área. Governadora diz ter documento provando que poderia ficar em terreno em favela desde que recusasse sua casa – *O Globo*, 27/11/2002, p. 17.

Secretário favorece empresa. William Campos escreve ofício recomendando firma de consultoria para escolas particulares – *O Globo*, 31/8/2002, p. 14.

Restaurantes da Barra flagrados fazendo "gato". Denúncias anônimas levaram a Light a averiguar e descobrir que restaurantes da Barra estavam furtando energia – *O Globo*, 31/8/2002, p. 17.

O mau cheiro que denuncia a falta de educação. Hábito de urinar na rua transforma cidade em banheiro a céu aberto e acarreta despesas extras para prefeitura – *O Globo*, 1/12/2002, p. 23.

Em cartaz: Porky's. Lixo divide espaço com platéias de quase todos os cinemas da cidade – *O Globo*, 20/11/2002, p. 15.

Em que pese a enorme importância de tais noções no pensamento social brasileiro, e em particular da noção de patrimonialismo, esses conceitos nunca foram mensurados no Brasil por meio de pesquisas de opinião. Fazer isso não é constatar o óbvio, mas testar a hipótese de que há uma "cultura patrimonialista", e detectar como essa cultura varia na população.

As perguntas desenvolvidas (Quadro 1, a seguir) medem a concepção de que o público é de todos, e o privado/particular diz respeito a cada indivíduo. Analisando-se as perguntas, pode-se notar que a noção de público que elas procuram captar vai além do significado de algo do governo ou governamental. Público é tudo o que não diz respeito, ou não pertence exclusivamente, ao indivíduo em questão.

Quadro 1

Perguntas para medir o patrimonialismo

Agora vou ler várias frases e para cada uma delas eu gostaria que o(a) senhor(a) dissesse se concorda muito, concorda um pouco, discorda um pouco ou discorda muito.
a) Cada um deve cuidar somente do que é seu, e o governo cuida do que é público.
b) Se alguém se sente incomodado pelo vizinho, o melhor é não reclamar.
c) Se alguém é eleito para um cargo público, deve usá-lo em benefício próprio, como se fosse sua propriedade.
d) Já que o governo não cuida do que é público, então ninguém deve cuidar.
e) Quem dá uma festa com som alto não se preocupa com os vizinhos.
f) Ninguém deve usar as ruas e as calçadas para vender produtos.
g) Quem constrói uma casa em terreno público abandonado não se preocupa com o que é público.
h) Um funcionário que trabalha em uma empresa não deve usar o telefone do trabalho para fazer um serviço por fora.
i) Alguém que recebe dinheiro do governo brasileiro para estudar no exterior, depois de concluir os estudos tem que voltar para trabalhar no Brasil.

No caso da "festa com o som alto" (letra e), procurou-se sintetizar a questão das regras de "boa vizinhança". Do ponto de vista patrimonialista, incomodar o vizinho com o som alto não é problema de quem dá a festa, mas um problema do vizinho. Tal como no velho ditado "os incomodados que se mudem". Para quem dá uma festa, o espaço público é determinado pelo bem-estar dos vizinhos. Desconsiderar isso é tratar o público como se fosse privado. Talvez isso explique por que os países mais antipatrimonialistas do mundo, os de tradição anglo-saxã, são tão silenciosos. As festas, quando ocorrem, terminam cedo.

Uma observação importante em relação a essas nove perguntas é que elas mesclam situações gerais com outras específicas de segmentos de maior renda (estudar no exterior) e de menor renda (itens f, g). Também abordam circunstâncias mais próximas, que dizem respeito à maioria das pessoas, e outras mais distantes. Isso é importante porque com freqüência a aceitação de práticas patrimonialistas encontra justificativas contextuais, algo do tipo "como o caso era de muita dificuldade/penúria foi necessário fazer assim". Além disso, há uma tendência maior de tolerância a práticas clientelistas quando elas nos favorecem (estão mais próximas) do que quando estão mais distantes e favorecem outras pessoas (item c). Ao mesclar essas situações, é possível captar a variação completa da aceitação social do patrimonialismo – desde as de maior até as de menor dificuldade/penúria, das mais próximas às mais distantes.

Tabela 1

A aceitação social do patrimonialismo pela população brasileira

	Discorda	Concorda
1) Cada um deve cuidar somente do que é seu, e o governo cuida do que é público	25	**74**
2) Ninguém deve usar as ruas e as calçadas para vender produtos	**60**	39
3) Quem constrói uma casa em terreno público abandonado não se preocupa com o que é público	**51**	48
4) Quem dá uma festa com som alto não se preocupa com os vizinhos	**51**	48
5) Se alguém se sente incomodado pelo vizinho, o melhor é não reclamar	50	**49**
6) Um funcionário que trabalha em uma empresa não deve usar o telefone do trabalho para fazer um serviço por fora	**42**	57
7) Alguém que recebe dinheiro do governo brasileiro para estudar no exterior, depois de concluir os estudos tem que voltar para trabalhar no Brasil	**30**	70
8) Já que o governo não cuida do que é público, então ninguém deve cuidar	81	**18**
9) Se alguém é eleito para um cargo público, deve usá-lo em benefício próprio, como se fosse sua propriedade	83	**17**

As situações da Tabela 1 estão hierarquizadas da mais para a menos patrimonialista. Nos casos 1, 5, 8 e 9, aqueles que responderam "concorda" são os que consideram que o espaço público tende a ser uma extensão do particular e privado. Já nas situações 2, 3, 4, 6 e 7, essa mesma visão de mundo é compartilhada pelos que responderam "discorda".

Na primeira pergunta, 74% da população brasileira consideram que "cada um deve cuidar somente do que é seu, e o governo cuida do que é público"; na segunda, o percentual de respostas a favor de uma visão de mundo patrimonialista é de 60% – são as pessoas que discordam de que "ninguém deve usar as ruas e calçadas para vender produtos". Essa proporção diminui sucessivamente para 51% nos casos 3 e 4 (são os que discordam), 49% na situação 5 (concorda), 42 e 30% na 6 e 7 (discorda), e finalmente 18% e 17% nas duas últimas (concorda).

A aceitação social do patrimonialismo é muito grande. O caso mais extremo, no qual alguém se utiliza de um cargo público como se fosse propriedade particular, é tolerado por 17% da população brasileira! Considerando-se a gravidade da situação, é possível dizer que 17% é uma proporção bastante elevada. No extremo oposto, na situação que dá título a este capítulo ("cada um cuida do que é seu e o governo cuida do que é público"), quase ¾ da população brasileira afirmam não considerar que o que é público merece ser cuidado por todos. A extensão dessa forma de pensar para a esfera dos tributos implica considerar os recursos advindos dos impostos algo do governo e não de toda a população. Trata-se do oposto da visão republicana, que advoga que o que é público é de todos e, portanto, deve ser zelado por todos.

Vale assinalar que, considerando-se questões concretas, a população tende a ser mais patrimonialista nas situações em que há maior carência material (vendedor ambulante e construção de casa em terreno público) do que naquelas em que essa carência é menor (trabalhar em uma empresa e estudar no exterior). Esse resultado fornece uma clara indicação de que há uma relação entre situação material e visão de mundo em relação ao patrimonialismo. O apoio social a ele é maior quando se trata de oferecer condições de melhoria às pessoas mais desfavorecidas.

Os dados das Tabelas 2 a 7 mostrarão que – tomando-se apenas as quatro circunstâncias em que a discordância é maior* – é possível perceber uma reafirmação das constatações já feitas: o Brasil está dividido entre aqueles que moram em capitais, são mais jovens, têm escolaridade mais elevada e fazem parte da população economicamente ativa (PEA), e os que moram em cidades que não são capitais, no Nordeste, são mais velhos, têm escolaridade mais baixa e não fazem parte da PEA. Foram identificadas diferenças importantes entre homens e mulheres apenas em duas das quatro situações selecionadas.

Tabela 2

Quem mora nas capitais tende a ser menos patrimonialista do que quem mora fora das capitais

	Cada um deve cuidar somente do que é seu, e o governo cuida do que é público		Se alguém se sente incomodado pelo vizinho, o melhor é não reclamar		Se alguém é eleito para um cargo público, deve usá-lo em benefício próprio, como se fosse sua propriedade		Já que o governo não cuida do que é público, então ninguém deve cuidar	
	Discorda	Concorda	Discorda	Concorda	Discorda	Concorda	Discorda	Concorda
Não mora na capital	23	77	48	52	81	19	79	21
Mora na capital	33	67	57	43	90	10	88	12

É evidente que os residentes das capitais são menos favoráveis ao patrimonialismo do que os que moram nas demais cidades. Nas quatro situações, a diferença aproximada é de 10%. Ou seja, a proporção das pessoas que apóiam o uso privado de recursos públicos é 10% maior nas cidades que não são capitais.

*Essas situações foram selecionadas depois de realizada uma análise estatística que permitiu identificar quais das nove situações aqui tratadas eram as que mais diferenciavam a população.

As diferenças entre esses dois segmentos não devem, todavia, mascarar a ampla aceitação do patrimonialismo. Isso fica claramente indicado pelos resultados da primeira situação (cada um deve cuidar somente do que é seu, e o governo cuida do que é público). A análise dos dados que se seguem nas Tabelas 3 a 7 sustenta a mesma conclusão. Para cada segmento estudado, seja ele faixa de idade, de escolaridade ou região do país, é grande o apoio ao ponto de vista patrimonialista, sempre da ordem de 70% do segmento. A única exceção é para aqueles que têm o curso superior completo (Tabela 7), entre os quais a proporção de apoio cai para 53%.

Tabela 3

Os habitantes do Nordeste são mais patrimonialistas do que as pessoas que moram nas demais regiões do Brasil

	Cada um deve cuidar somente do que é seu, e o governo cuida do que é público		Se alguém se sente incomodado pelo vizinho, o melhor é não reclamar		Se alguém é eleito para um cargo público, deve usá-lo em benefício próprio, como se fosse sua propriedade		Já que o governo não cuida do que é público, então ninguém deve cuidar	
	Discorda	Concorda	Discorda	Concorda	Discorda	Concorda	Discorda	Concorda
Norte	30	70	49	51	75	25	81	19
Centro-Oeste	30	70	54	46	91	9	86	14
Nordeste	23	77	41	59	75	25	70	30
Sudeste	25	75	55	45	86	14	86	14
Sul	28	72	55	45	88	12	88	12

Os resultados da PESB mostram claramente que, nas quatro situações, a proporção dos que defendem um ponto de vista patrimonialista é maior no Nordeste. Destaca-se a quarta pergunta (já que o governo não cuida do que é público, então ninguém deve cuidar), em que o apoio ao patrimonialismo é mais de duas vezes maior no Nordeste (30%) do que nas regiões Centro-Oeste, Sudeste e Sul (14%, 14% e 12%, respectivamente).

Na primeira questão, a diferença relevante é entre o Nordeste e as demais regiões. Na segunda situação, há outras distinções importantes. Não apenas o Nordeste é mais patrimonialista, mas também os habitantes das regiões Centro-Oeste, Sudeste e Sul são menos patrimonialistas do que a média nacional. Na terceira circunstância, notam-se também diferenças relevantes, que vão além da situação do Nordeste. Os menos patrimonialistas são os habitantes das regiões Centro-Oeste, seguidos de Sudeste, Sul e Norte.

Fica bastante evidente que, em uma hierarquia das populações das cinco grandes regiões do Brasil, tem-se num extremo os nordestinos, seguidos dos habitantes da região Norte, depois os do Sudeste e, por fim, os do Centro-Oeste e Sul empatados no extremo menos patrimonialista.

Tabela 4

Os homens tendem a ser mais patrimonialistas do que as mulheres

	Cada um deve cuidar somente do que é seu, e o governo cuida do que é público		Se alguém é eleito para um cargo público, deve usá-lo em benefício próprio, como se fosse sua propriedade	
	Discorda	Concorda	Discorda	Concorda
Homens	22	78	81	19
Mulheres	29	71	85	15

A pesquisa identificou algumas diferenças entre homens e mulheres. Ainda que não se apliquem às quatro situações selecionadas, nota-se que os homens tendem a ser um pouco mais patrimonialistas do que as mulheres.

Tabela 5

Os mais velhos tendem a ser mais patrimonialistas do que os mais jovens

	Cada um deve cuidar somente do que é seu, e o governo cuida do que é público		Se alguém se sente incomodado pelo vizinho, o melhor é não reclamar		Se alguém é eleito para um cargo público, deve usá-lo em benefício próprio, como se fosse sua propriedade		Já que o governo não cuida do que é público, então ninguém deve cuidar	
	Discorda	Concorda	Discorda	Concorda	Discorda	Concorda	Discorda	Concorda
18 a 24	29	71	61	39	84	16	88	12
25 a 34	26	74	53	47	89	11	86	14
35 a 44	27	73	54	46	82	18	81	19
45 a 59	25	75	45	55	82	18	80	20
60 ou mais	17	83	36	64	76	24	68	32

O apoio social varia bastante de acordo com a idade. Na primeira situação (cada um deve cuidar somente do que é seu, e o governo cuida do que é público), a única diferença relevante é entre pessoas acima de 60 anos e as demais faixas de idade consideradas em conjunto. Na segunda situação (se alguém se sente incomodado pelo vizinho, o melhor é não reclamar), há muitas diferenças importantes. Os mais jovens são claramente menos patrimonialistas (39% para as pessoas de 18 a 24 anos), proporção que aumenta gradativamente até atingir o máximo na faixa de idade mais elevada (64%).

Na terceira situação (se alguém é eleito para um cargo público deve usá-lo em benefício próprio, como se fosse sua propriedade), há duas variações importantes: os que estão na faixa dos 25 aos 34 anos são os que mais se opõem, enquanto os acima de 60 anos são os que mais apóiam (24%) a alternativa patrimonialista. Por fim, na quarta situação, há um crescimento monotônico desse apoio, dos mais jovens para os mais velhos.

Tabela 6

As pessoas que fazem parte da População Economicamente Ativa tendem a ser menos patrimonialistas do que as pessoas que não fazem parte da PEA

	Cada um deve cuidar somente do que é seu, e o governo cuida do que é público		Se alguém se sente incomodado pelo vizinho, o melhor é não reclamar		Se alguém é eleito para um cargo público, deve usá-lo em benefício próprio, como se fosse sua propriedade		Já que o governo não cuida do que é público, então ninguém deve cuidar	
	Discorda	Concorda	Discorda	Concorda	Discorda	Concorda	Discorda	Concorda
Não-PEA	23	77	45	55	79	21	77	23
PEA	27	73	53	47	85	15	84	16

Os dados da Tabela 6 revelam claramente que as pessoas que trabalham são menos patrimonialistas do que as que não fazem parte da PEA. Isso pode ser verificado em todas as quatro situações analisadas.

Tabela 7

As pessoas de escolaridade mais alta tendem a ser menos patrimonialistas do que as de escolaridade mais baixa

	Cada um deve cuidar somente do que é seu, e o governo cuida do que é público		Se alguém se sente incomodado pelo vizinho, o melhor é não reclamar		Se alguém é eleito para um cargo público, deve usá-lo em benefício próprio, como se fosse sua propriedade		Já que o governo não cuida do que é público, então ninguém deve cuidar	
	Discorda	Concorda	Discorda	Concorda	Discorda	Concorda	Discorda	Concorda
Analfabeto	20	80	27	73	60	40	50	50
Até a 4ª série	15	85	37	63	69	31	67	33
Da 5ª à 8ª série	20	80	45	55	83	17	82	18
Ensino médio	31	69	62	38	95	5	95	5
Superior ou mais	47	53	78	22	97	3	98	2

Entre todas as variáveis analisadas, mais uma vez, nada se compara às diferenças entre as faixas de escolaridade. Em primeiro lugar, é evidente que existe uma grande distância entre as visões de mundo dos dois extremos: analfabetos e pessoas com o grau superior completo. Ainda que as distinções sejam grandes nas duas primeiras circunstâncias, são ainda mais pronunciadas na terceira e na quarta situações. Na terceira, a proporção de analfabetos que apóia o patrimonialismo (40%) é aproximadamente 13 vezes maior do que na faixa dos que têm superior completo. Na quarta situação, há proporcionalmente 25 vezes mais analfabetos defensores de uma visão de mundo patrimonialista do que na faixa de superior completo! Nos dois casos, trata-se de uma diferença muito grande nas visões de mundo de diferentes grupos sociais e, ainda assim, raramente detectada em pesquisas de opinião.

Outra variação que merece destaque é a inflexão presente na faixa de escolaridade do ensino médio completo. Nas quatro situações, as variações mais significativas do ponto de vista estatístico ocorrem quando se passa do ensino fundamental para o ensino médio completo. Isso não quer dizer que as mudanças de opinião entre as demais faixas não sejam relevantes, mas apenas que a diferença mais significativa ocorre entre essas duas faixas. É possível, portanto, afirmar que, no longo prazo, a visão de mundo patrimonialista terá menos defensores por causa do aumento da escolaridade média da população e, em particular, da ampliação do ensino médio.

O apoio social ao patrimonialismo e à corrupção

Patrimonialismo e corrupção são idéias afins, e isso significa que quanto mais alguém acha correto e defende valores patrimonialistas, mais tenderá a ser tolerante com a corrupção e práticas correlatas. Nesse sentido, os dados da PESB permitem concluir que essa tolerância é realmente maior entre aqueles de escolaridade mais baixa; que a população do Nordeste convive melhor com a corrupção do que os habitantes da região Sul; que os mais velhos ficam menos indignados do que os mais jovens em relação aos escândalos de corrupção.

Tão importante quanto esses achados é o fato de que a PESB permitiu mapear e identificar esse forte apoio social ao patrimonialismo e à corrupção. Os dados são muito claros e permitem concluir que corrupção não é um fenômeno circunscrito a uma elite política perversa e sem ética, mas revela valores fortemente arraigados na população brasileira. A elite política, todos sabemos, emerge da população, pelo voto, mas também tem que prestar contas a ela. Que tipo de pressão sofre um político eleito em grande parte por pessoas que formam aqueles 17% que consideram correto usar um cargo público em seu próprio benefício?

Não se trata de um caso extremo, como alguns podem argumentar. O eleitor que concorda que o governo cuide do que é público enquanto ele, eleitor, se dedica exclusivamente ao que é seu está dando carta-branca aos governantes.

É alguém muito pouco disposto a controlar seus representantes; mais do que isso, é um eleitor para o qual a própria noção de representação não vai muito além de deixar esse representante livre para fazer o que quiser, posto que ele, eleitor, não se preocupará com o que é público.

Essa visão de mundo tem apoio de nada menos do que 74% da população brasileira. O resultado é que a margem de manobra dos políticos é muito maior do que seria em um contexto social no qual esse apoio fosse menor. Portanto, dada a visão da população brasileira sobre o tema, não surpreende que a corrupção e suas práticas sejam tão comuns.

capítulo 4

Fatalista, familista e com pouco espírito público

capítulo 4

"É comum a gente sonhar, eu sei,
Quando vem o entardecer;
Pois, eu também dei de sonhar
Um sonho lindo de morrer.
Vejo um berço e nele eu me debruçar
com um pranto a mim correr
e assim chorando acalentar
o filho que eu quero ter.

Dorme, meu pequenininho
Dorme, que a noite já vem
Teu pai está muito sozinho
De tanto amor que ele tem."

"O filho que eu quero ter", de Toquinho e Vinicius de Moraes

"Leio a mensagem zodiacal
E o realejo diz
Que eu serei feliz
Sempre feliz

Como será o amanhã
Responda quem puder
O que irá me acontecer
O meu destino será como Deus quiser"

"O amanhã", de João Sérgio

Existe destino e grande parte dele está nas mãos de Deus. Somente a família é confiável. Se o governo não faz a parte dele, então não há por que fazer a sua parte. Essas frases expressam fatalismo, uma visão familista e falta de espírito público. Características que já foram identificadas por cientistas sociais como atributos marcantes nas sociedades mediterrâneas e ibéricas.

No caso do Brasil, apesar da mistura de raças, o país é, com certeza, uma invenção portuguesa. E, como tal, herdou o fatalismo religioso de origem católica, a noção de importância da família nas relações sociais e a idéia de que o espaço público não é de ninguém. Essas concepções também povoam nossas interpretações sobre sociedade.

Há grande contraste com a matriz social anglo-saxã de origem protestante. A predestinação calvinista fez com que povos como o norte-americano agissem no mundo por meio do trabalho. Nos países anglo-saxões, o indivíduo tudo pode, principalmente quando em associação a outros indivíduos. Sua extrema mobilidade geográfica só é possível porque os laços familiares, quando comparados a outras relações de confiança, não são demasiado fortes. Nesses países, a palavra *community* tem um significado bem diferente da nossa "comunidade", muitas vezes eufemismo para favela ou área de moradias populares. *Community*, para os anglo-saxões, é um espaço sobre o qual todos têm responsabilidade.

Tais noções, que podem ser atribuídas ao molde religioso – católico *versus* protestante –, podem também ser associadas ao esforço educacional. Nesse sentido, os anglo-saxões empreenderam uma das maiores mobilizações sócio-religiosas de que se tem notícia. Segundo versões massificadas da teologia protestante, a ignorância é obra do demônio, é prima-irmã de Satanás.

Em sociedades pouco escolarizadas, ao contrário, é onde se encontram mais freqüentemente fatalistas avessos à noção republicana de espaço público. É o que acontece no Brasil, onde essa é a visão dominante entre a população: simplesmente 1/3 dos adultos acredita que Deus decide o destino dos homens, sem espaço para a mão humana (Tabela 1).

Esse contingente, somado aos 28% que acham que, apesar do destino estar nas mãos de Deus, o homem tem uma pequena capacidade de modificá-lo, resulta que 60% da população acreditam que grande parte do que acontece com os homens está fora de seu controle. No extremo oposto, apenas 14% da população adulta brasileira acreditam que não há um desígnio além da capacidade humana de definir sua própria vida.

Tabela 1

O fatalismo do brasileiro

Deus decide o destino	32
Deus decide o destino, mas as pessoas podem mudá-lo um pouco	28
Deus decide o destino, mas as pessoas podem mudá-lo muito	24
Não há destino, as pessoas decidem tudo sobre suas vidas	14
NS/NR	3

Ainda mais difundido do que o fatalismo é o familismo. Nada menos do que 84% dos brasileiros confiam na família, percentual ainda mais significativo quando comparado à confiança nas pessoas fora do grupo familiar – os mais próximos, amigos e colegas de trabalho, estão a uma distância quilométrica na opinião pública: 54 pontos percentuais abaixo! Somente 30% das pessoas confiam neles. Numa escala decrescente, um percentual ainda menor declara depositar sua fé nos vizinhos (23%) e na maioria das pessoas (15%).

Tabela 2

Não confie em ninguém que não seja da família

	Confiança na família	Confiança nos amigos	Confiança nos vizinhos	Confiança nos colegas de trabalho	Confiança na maioria das pessoas
Não confia	16	70	77	70	85
Confia	84	30	23	30	15

Tudo isso ajuda a entender por que grande parte do capitalismo nativo está baseado em relações econômicas familiares. Não é raro encontrar pequenos negócios, bares, restaurantes, lanchonetes ou lojas, nos quais o lugar na "caixa registradora" só pode ser ocupado por parentes, mesmo que isso signifique perda de eficiência. Essa perda é compensada pelo ganho de confiança. Imagine-se entregar "o caixa" a um amigo, conhecido, ou mesmo a um profissional.

Brasil x Alemanha

Irmãos Schumacher abandonam a mãe – Às vezes, ela lamentava o destino de ter dois filhos tão famosos e viver tão abandonada – contou uma vizinha e amiga. Segundo a jornalista Bettina Jocheim, do jornal *Kolner Stadt Anzeiger*, trata-se de um lado sombrio da vida de Michael Schumacher. Há quem critique seu excesso de frieza. Porém, como os alemães o idolatram pelo sucesso no esporte, muitos jornais têm evitado abordar o tema, noticiando apenas as reações à decisão dos dois pilotos em participar de uma corrida horas depois de serem informados da morte da mãe – *O Globo*, 23/4/2002.

Justiça impede o fim do nepotismo no Judiciário. Mais de 400 liminares atrasam demissões de parentes de magistrados. Pelo menos 1.148 parentes de juízes e desembargadores ocupam, sem concurso, cargos de confiança na Justiça estadual em todo o país – *O Globo*, 12/2/2006.

Campanha de Ciro está nas mãos de parentes e amigos de infância. Além dos dois irmãos, antigos companheiros são assessores especiais – *O Globo*, 1/9/2002.

Além do fatalismo e do extremo crédito na família, o brasileiro médio prefere agir apenas após o governo fazer a sua parte. De fato, pouco mais que a maioria da população (56%) acha que só deve colaborar com o governo caso ele cuide do que é público.

Tabela 3

Espírito público

Deve-se colaborar com o governo mesmo quando ele não cuida do que é público	41
Só se deve colaborar com o governo quando ele cuida do que é público	56
NS/NR	3

A princípio, apenas 41% estão dispostos a dar sua cota de sacrifício para fazer o que o governo não faz. Não cabe aqui discutir as razões ou a racionalidade dessa visão de mundo. Em uma situação como a brasileira, em que sociedade e Estado são separados de forma muito clara e na qual a sociedade se vê explorada pelo Estado, é lógico nutrir sentimentos não republicanos. Porém, mais do que justificar essa forma de pensar, cabe refletir sobre as conseqüências disso para o funcionamento da sociedade e sobre o que pode ser feito para mitigar mentalidades que sejam um obstáculo para o Brasil se transformar em uma nação plenamente moderna. Analisar o perfil desse fenômeno – o que será feito adiante – pode ser um passo importante para combatê-lo.

O perfil do fatalismo

Os dados mostram que o fatalismo do brasileiro é mais forte nas regiões Norte e Nordeste e mais fraco no Sudeste e no Sul. No Sul, apenas 26% da população acreditam que todo o destino está nas mãos de Deus. Essa proporção contrasta bastante com os 40% da região Nordeste e os 42% do Norte do país.

Tabela 4

O fatalismo por região do Brasil

	Deus decide o destino	Deus decide o destino, mas as pessoas podem mudá-lo um pouco	Deus decide o destino, mas as pessoas podem mudá-lo muito	Não há destino; as pessoas decidem tudo sobre suas vidas
Norte	42	30	17	12
Centro-Oeste	35	30	23	12
Nordeste	40	29	20	11
Sudeste	29	28	27	17
Sul	26	28	30	16

Sudeste e Sul são as regiões mais desenvolvidas, da mesma forma que as capitais são mais ricas do que as demais cidades. Igualmente, os habitantes das capitais tendem a ser menos fatalistas do que os que moram nas outras cidades.

Tabela 5

As capitais são menos fatalistas do que as não-capitais

	Deus decide o destino	Deus decide o destino, mas as pessoas podem mudá-lo um pouco	Deus decide o destino, mas as pessoas podem mudá-lo muito	Não há destino; as pessoas decidem tudo sobre suas vidas
Não-capital	34	29	23	14
Capital	30	27	28	16

As diferenças entre gerações são mais acentuadas do que as que existem entre as capitais e as não-capitais e se equivalem às diferenças entre as grandes regiões do Brasil. Nas duas faixas de idade compreendidas entre 18 e 34 anos, somente 29% colocam todo o destino nas mãos de Deus. É também nesses grupos etários que há maiores porcentagens dos que acham que não há destino.

Os que têm 60 anos ou mais, ao contrário, são os mais fatalistas: 40% consideram que todo destino é obra divina. Nessa faixa de idade, somente 1/3 acredita que não há destino, ou que ele é muito controlado pelos homens, ficando apenas uma pequena parte nas mãos de Deus.

Tabela 6

As gerações estão divididas. Ao contrário dos mais jovens, os mais velhos são muito fatalistas

	Deus decide o destino	Deus decide o destino, mas as pessoas podem mudá-lo um pouco	Deus decide o destino, mas as pessoas podem mudá-lo muito	Não há destino; as pessoas decidem tudo sobre suas vidas
18 a 24	29	29	26	16
25 a 34	29	28	26	17
35 a 44	34	30	25	11
45 a 59	33	28	23	16
60 ou mais	40	27	21	12

Mais uma vez, as concepções de mundo mais opostas se verificam entre as pessoas que têm curso superior completo e as que não têm. Em primeiro lugar, mais da metade dos analfabetos ou pessoas que não concluíram nenhum grau formal de educação acredita que todo o destino está nas mãos de Deus: 51%. À medida que aumenta a escolaridade formal, essa proporção diminui. Assim, dos que completaram o ensino médio, somente 23% acreditam no destino sem qualquer controle da ação humana. Mesmo assim, predomina a crença no destino divino e em que o homem pouco pode mudar (32%).

Com diploma superior, a mentalidade se torna menos fatalista: a maioria (47%) acredita que embora o destino seja fruto da decisão divina, muita coisa pode ser mudada pelo homem, enquanto 27% simplesmente descartam qualquer outra influência que não a ação humana. No extremo oposto, apenas 9% dos que têm superior completo acreditam na prevalência do destino. Conseqüentemente, a recomendação óbvia para os que querem combater essa mentalidade é: massifique-se a formação superior.

Tabela 7

Aumente-se a escolaridade, diminua-se o fatalismo

	Deus decide o destino	Deus decide o destino, mas as pessoas podem mudá-lo um pouco	Deus decide o destino, mas as pessoas podem mudá-lo muito	Não há destino; as pessoas decidem tudo sobre suas vidas
Analfabeto	51	24	18	7
Até a 4ª série	47	29	15	9
Da 5ª à 8ª série	36	32	18	13
Ensino médio	23	32	30	16
Superior ou mais	9	17	47	27

A segunda linha de atuação para os inimigos da mentalidade fatalista é o combate à religião, qualquer que seja ela. Um grande abismo separa aqueles que declaram ter religião dos que se dizem sem religião. Neste grupo, a maioria, 51% (17% + 34%), acredita em pouco ou nenhum fatalismo. Somente 21% dos "sem religião" colocam todo o destino nas mãos de Deus. Esse percentual contrasta enormemente com os 49% dos evangélicos pentecostais que compartilham dessa visão de mundo.

Tabela **8**

Combata-se a religião, reduza-se o fatalismo

Religião	Deus decide o destino	Deus decide o destino, mas as pessoas podem mudá-lo um pouco	Deus decide o destino, mas as pessoas podem mudá-lo muito	Não há destino; as pessoas decidem tudo sobre suas vidas
Evangélica pentecostal	49	21	21	8
Evangélica não-pentecostal	36	30	24	10
Católica	33	30	24	13
Não tem religião	21	27	17	34

O perfil do familismo

A primeira informação que merece destaque é que a confiança na família une todas as regiões do Brasil. Não há variação significativa entre capitais e não-capitais, entre as cinco diferentes faixas de idade, para sexo ou escolaridade, o que indica que o enorme crédito na família é fato presente em toda a sociedade brasileira, independente de classe social, sexo, idade e região do país.

As regiões do Brasil são muito semelhantes nessa confiança. Porém, é no Sul que as pessoas confiam tanto na família quanto nos amigos. A soma dos dois percentuais atinge 124% na região Sul e apenas 105% no Nordeste. Depois da região Sul, o nível mais elevado é 118% no Sudeste.

Outra informação relevante é que a diferença entre confiar na família e nos amigos é de 48 pontos percentuais no Sul e de 63 pontos percentuais no Nordeste. O que indica com clareza que, quando comparada aos amigos, a família é mais importante no Nordeste do que no Sul. O corolário desse dado é que no Sul e no Sudeste há menos obstáculos para se estabelecer laços pessoais não-familiares do que no Nordeste. Ainda assim, mesmo no Sudeste e no Sul, a família dispara na primeira preferência em termos de confiabilidade.

Tabela 9

A confiança na família e nos amigos por região do Brasil

	Confiança na família		Confiança nos amigos	
	Não confia	Confia	Não confia	Confia
Norte	14	86	76	24
Centro-Oeste	15	85	75	25
Nordeste	16	84	79	21
Sudeste	16	84	66	34
Sul	14	86	62	38

Os percentuais também não diferem entre os residentes das capitais e os das não-capitais. Quando somados, percebe-se que as diferenças são aparentes. O total da soma para as capitais é 120% e para as não-capitais, 112%. A distância entre os níveis de confiança na família e confiança nos amigos também é menor nas capitais do que nas não-capitais. Mais uma vez, os dados mostram que a importância relativa da família é menor nas capitais, embora sua importância absoluta seja muito grande e sem paralelo em outras relações sociais.

Tabela 10

A confiança nas capitais e não-capitais

	Confiança na família		Confiança nos amigos	
	Não confia	Confia	Não confia	Confia
Não-capital	16	84	72	28
Capital	16	84	64	36

À medida que se avança em idade, há mais chances de que os laços baseados em confiança sejam maiores. A grande diferença entre as faixas de idade ocorre quando se analisa a confiança nos amigos. É aí que as pessoas que têm 60 anos ou mais apresentam maior percentual do que os mais jovens: 42% contra 26%. Uma hipótese para explicar esse resultado é que os mais velhos tiveram a oportunidade, conferida pelo tempo, de depurar em exaustão seus amigos, enquanto os mais jovens estão se iniciando nessa aventura. Qualquer que seja a explicação, o fato é que os mais velhos têm maior capital social – a confiança – do que os mais jovens.

Tabela **11**

A confiança por faixa de idade

	Confiança na família		Confiança nos amigos	
	Não confia	Confia	Não confia	Confia
18 a 24	17	83	74	26
25 a 34	17	83	75	25
35 a 44	17	83	71	29
45 a 59	14	86	68	32
60 ou mais	15	85	58	42

Sabe-se que a escolaridade está fortemente relacionada ao capital social. Mantidas constantes as outras variáveis, os mais escolarizados são os que mais confiam nas outras pessoas. Isso possibilita estabelecer negócios, associar-se para reivindicar melhorias públicas, participar de associações civis etc.

O impacto da escolaridade no capital social é tão marcante que até mesmo a confiança na família sofre essa influência. Considerando-se todas as análises por subgrupos, é no segmento dos que completaram o grau superior que se encontra a maior proporção de confiança na família: 96%. É também nesse subgrupo que está o maior percentual dos que confiam nos amigos.

Quando as duas proporções são somadas, tem-se 156%: o maior nível de confiança dentre todos os segmentos analisados. Mais do que isso: ao subtrair a confiança na família da confiança nos amigos, o resultado é de 36 pontos percentuais. É a menor distância entre as duas alternativas para todos os segmentos estudados. Vivas para o grau superior completo! Ao menos é o que pensam aqueles que querem que os laços de confiança sejam mais presentes no Brasil.

É interessante também notar que as faixas de escolaridade intermediárias (até a 4ª série e da 5ª à 8ª série) são as que menos confiam tanto na família quanto nos amigos. Elas perdem tanto para os que têm superior completo, segmento que é líder disparado no capital social, quanto para os que completaram o ensino médio e os analfabetos.

Tabela 12

A confiança por escolaridade

	Confiança na família		Confiança nos amigos	
	Não confia	Confia	Não confia	Confia
Analfabeto	17	83	69	31
Até a 4ª série	18	82	77	23
Da 5ª à 8ª série	22	78	79	21
Ensino médio	14	86	70	30
Superior ou mais	4	96	40	60

O perfil da falta de espírito público

O cidadão deve fazer a sua parte independente do governo ou não? Para 65% dos habitantes do Nordeste, a estratégia do cidadão deve ser, na terminologia técnica da teoria dos jogos, *tit-for-tat*, ou seja, responder na mesma moeda. Assim, já que o governo não cuida do que é público, então ninguém deve colaborar. É a visão de mundo mais aceita naquela região.

O menor percentual para essa hipótese encontra-se na região Norte, onde são 48% os que pensam dessa forma. As demais regiões se situam entre esses dois extremos e, surpreendentemente, o Sul se assemelha mais ao Nordeste do que ao Sudeste ou ao Centro-Oeste. Uma situação que exige mais estudos e pesquisas, uma vez que, nos demais indicadores de "modernidade", o Sul, em geral, ocupa o extremo de mais moderno e o Nordeste, o de mais arcaico.

Tabela 13

A distribuição regional da falta de espírito público

	Deve-se colaborar com o governo mesmo que ele não cuide do que é público	Só se deve colaborar com o governo quando ele cuida do que é público
Norte	52	48
Centro-Oeste	47	53
Nordeste	35	65
Sudeste	45	55
Sul	41	59

Para utilizar a mesma terminologia, o resultado comparativo capitais *versus* não-capitais aponta na direção esperada: mais modernidade nas capitais. É onde as pessoas tendem a ser mais colaborativas com o Estado, mesmo se ele não fizer a parte que lhe cabe: o resultado é de 50% contra 39% nas não-capitais.

Tabela 14

A falta de espírito público segundo o tipo de cidade

	Deve-se colaborar com o governo mesmo que ele não cuide do que é público	Só se deve colaborar com o governo quando ele cuida do que é público
Não-capital	39	61
Capital	50	50

Duas análises sociodemográficas tradicionais não apontaram diferenças entre os subgrupos: por gênero e por população economicamente ativa (PEA). Tanto faz ser homem ou mulher, as proporções são as mesmas: 58% crêem que só se deve colaborar com o governo se ele fizer sua parte. Percentual idêntico para quem pertence à PEA e para quem não pertence.

As diferentes gerações, contudo, tendem a apresentar variações nesse valor. Os mais jovens e os mais velhos são os mais refratários ao espírito público: 64% dos que têm entre 18 e 24 anos e 57% dos que têm 60 anos ou mais aceitam o princípio básico da falta de espírito público. Eles são acompanhados pelos adultos jovens, entre 35 e 44 anos. A maior proporção de apoio ao espírito público está na faixa dos 45 aos 59 anos.

Tabela 15

Gerações e falta de espírito público

	Deve-se colaborar com o governo mesmo que ele não cuide do que é público	Só se deve colaborar com o governo quando ele cuida do que é público
18 a 24	36	64
25 a 34	39	61
35 a 44	42	58
45 a 59	48	52
60 ou mais	43	57

Mais uma vez é na escolaridade que se encontra a maior relação com a ideologia estudada. Da 4ª série do fundamental até o superior completo a adesão aos valores republicanos tem uma variação monotônica. Isto é, para cada ano a mais de educação formal, cresce um pouco mais a aceitação do ponto de vista de que o cidadão deve fazer a sua parte mesmo que o governo não faça a dele. No superior completo, essa proporção é de 58% ao passo que até a 4ª série é de apenas 34%.

Essa tendência não se verifica na escolaridade mais baixa. É surpreendente que a adesão desse grupo – analfabetos e sem instrução básica formal concluída – ao ideário republicano do espírito público seja maior do que quem estudou da 5ª à 8ª série. Uma hipótese para explicar esse fenômeno pode estar relacionada a uma concepção autoritária de sociedade. Não é a pauta de valores republicana que leva à colaboração com o governo, mas sim o medo de que ele retalie caso essa colaboração não ocorra.

Tabela 16

Escolaridade e falta de espírito público

	Deve-se colaborar com o governo mesmo que ele não cuide do que é público	Só se deve colaborar com o governo quando ele cuida do que é público
Analfabeto	41	59
Até a 4ª série	34	66
Da 5ª à 8ª série	36	64
Ensino médio	46	54
Superior ou mais	58	42

Arcaísmo e modernidade

Sabe-se que para os modernos não há destino. Para eles, os laços familiares são importantes, embora não mais do que outros tipos de relações sociais, tais como vínculos entre amigos ou colegas de trabalho. E o fato de cada cidadão fazer a sua parte é um valor, mesmo que o governo não aja como lhe é exigido. Grande parte da sociedade brasileira, no entanto, se distancia desses valores da modernidade, como se demonstrou nessa pesquisa. O que fazer então?

Trata-se de uma convivência difícil. São partes distintas da sociedade que não se falam, ou melhor, que não se compreendem. De um lado, as instituições do mundo liberal e sua burocracia racional-legal. Do outro, uma população que tende a tolerar – por causa de seus valores dominantes – comportamentos a princípio fora do *script* dessas instituições.

Não se esperava que o ex-presidente da Câmara dos Deputados, Severino Cavalcanti, mesmo antes de ocupar o cargo, negociasse o funcionamento de restaurantes e lanchonetes nas dependências do legislativo em troca do recebimento de propinas. Severino não tem grau superior e vem do Nordeste. Seria ele familista? Seria ele um defensor de empregos para parentes e amigos? Ele é o símbolo do arcaico liderando instituições modernas.

Mais do que isso, Severino – e outros Severinos – é eleito e reeleito sem que a população condene suas práticas clientelistas. A relação com o eleitor é pessoal. Lança-se mão da distribuição de favores, dos mais variados tipos, desde a reforma de uma birosca até a liberação de um infrator no trânsito, passando pela distribuição de dinheiro em período eleitoral. Isso tudo é tolerado pela população de escolaridade mais baixa. Os mesmos que tendem a ser mais fatalistas, mais familistas e a rejeitar as visões favoráveis ao espírito público.

A mudança é lenta, porém, irreversível. O Brasil caminha muito vagarosamente na direção da modernidade. Muito já foi realizado. Há muito a ser feito, particularmente no que se refere ao esforço educacional. Massifique-se o ensino superior, expanda-se a oferta do ensino médio, melhore-se a qualidade de todos os níveis de educação e teremos um enorme impacto não apenas na produtividade do trabalho, mas também nos valores que separam o arcaico do moderno.

capítulo 5

O nome do povão é Talião: lincha ele!

capítulo 5

"Tá lá o corpo estendido no chão
Em vez de rosto a foto de um gol
Em vez de reza uma praga de alguém
E um silêncio servindo de amém
O bar mais perto depressa lotou
Malandro junto com trabalhador
Um homem subiu na mesa do bar
E fez discurso pra vereador"
"De frente pro crime", de Aldir Blanc e João Bosco

A cena todos conhecem bem: o flagrante de um crime, os bandidos fogem, a polícia vai atrás e tenta impedir a fuga atirando. As balas são na direção dos criminosos, mas uma, ou mais de uma, atinge o cidadão comum que estava passando. Levado para o hospital, ele não resiste ao ferimento. No violento dia-a-dia das grandes cidades brasileiras, perseguições policiais que resultam na morte de inocentes tornaram-se freqüentes.

Mas basta analisar os manuais e acompanhar o estágio nas várias academias de polícia espalhadas pelo país para se perceber que não é esse o treinamento que o policial recebe. Por que, então, ele age dessa forma? Por que acaba sendo protagonista de uma cena de bangue-bangue moderno? A resposta está no apoio da população. Toda vez que um tiroteio entre policiais e bandidos vitima um inocente, muitos dos comentários no dia seguinte deixam clara essa concordância:

- "Que azar de quem estava na linha de tiro";
- "Uma pena que tenha morrido um inocente";
- "Pelo menos os bandidos foram presos" (nem sempre isso ocorre).

Boa parte do que é dito defende a ação da polícia ao abrir fogo contra os bandidos, o que não é visto como problema. As lamentações recaem sobre a fatalidade, o inocente atingido. Se a providência divina assegurasse que a população de bem jamais seria atingida pelos tiros de uma perseguição policial, provavelmente esse passaria a ser o procedimento padrão.

Desse modo, é o apoio social a esse comportamento que incentiva o policial. Se o bandido for morto, ele pode até tornar-se herói, com grandes chances de ocupar as páginas dos jornais e tornar-se, para muitos, um exemplo de guardião da lei e da ordem. Na melhor das hipóteses, quando um criminoso já rendido é assassinado pela polícia, os debates do *day after* dividem a população entre os que aplaudem e os que rejeitam a ação. Muitos argumentarão que isso é compreensível, uma vez que a sensação de insegurança que tomou conta das populações das grandes cidades motiva os indivíduos a apoiarem qualquer solução para o crime, mesmo que seja no estilo "olho por olho, dente por dente".

Ao contrário das punições previstas pela lei, sujeitas a uma justiça lenta e muitas vezes considerada ineficiente, as punições ilegais acabam sendo vistas como solução, ou pelo menos como um recurso quando se trata de combater o crime. As modalidades variam e uma enorme proporção de brasileiros concorda com elas: linchamentos, contratação de grupos de extermínio ou de pistoleiros, assassinato de bandidos que se entregam pacificamente, além do estupro para estupradores.

Essa aceitação por boa parte da população leva a polícia a matar a sangue-frio bandidos imobilizados, faz com que comerciantes contratem seguranças para "policiar" o centro das cidades ou permite que presos decidam punir companheiros acusados de crimes considerados hediondos. Como ter matado pais ou filhos, ou cometido estupro. Este último, aliás, é um caso clássico. Sabe-se que os estupradores geralmente têm vida curta na cadeia ou acabam sendo estuprados pelos outros presos e se tornando alvos regulares de "serviços sexuais" nas prisões.

Essa grande aceitação social das punições ilegais está mensurada quantitativamente nos dados da Tabela 1. Os crimes e suas respectivas punições foram ordenados do mais para o menos aceito.

É sempre notícia no Brasil...

Segurança/PMs livram assaltante de linchamento em Itapuã. Flagrado quando assaltava o depósito Point da Bebida, localizado no bairro de Itapuã, armado com um revólver 32, anteontem à tarde, Jefferson Silva de Araújo, 18 anos, foi imobilizado e espancado por populares. Ele foi salvo pela guarnição 0026 da Operação Gêmeos da Polícia Militar, que o conduziu à sede do Grupo Especial de Repressão a Roubos a Coletivos (Gerrc), onde foi autuado por roubo – *Correio da Bahia*, 11/12/2005.

Polícia salva ladrão de linchamento em Ipanema. A polícia precisou intervir para salvar a vida do homem acusado de furtar o CD player de um carro estacionado em frente à boate Baronetti, na Praça Nossa Senhora da Paz, em Ipanema, na madrugada desta quinta-feira. Ele quase foi linchado por um grupo de rapazes que saía da boate. Homens do Batalhão da PM do Leblon, em uma viatura que passava pelo local, viram o tumulto e pararam para conferir, quando perceberam que se tratava de uma tentativa de linchamento – *Correio do Brasil* – Metrópoles – 27/4/2006.

Linchamento em São Paulo. Na segunda-feira da semana que passou, às 17h10, no Jardim Mirna, Zona Sul da cidade de São Paulo, Renata, de 17 anos, que voltara do trabalho, foi morta pelo padrasto com sete facadas no peito e duas nos olhos. Esbarrara numa mesa, derrubara um copo de vidro e se recusara a recolher os cacos. Estava com pressa para tomar banho e ir para a escola. Indignados, os vizinhos agarraram Domingos, o padrasto, de 39 anos, arrastaram-no para fora da casa e o lincharam a pedradas, pauladas, socos e pontapés. Estaria bêbado ou drogado, disseram – *O Estado de S. Paulo*, artigo de José de Souza Martins, 28/8/2005.

Linchamento na Bahia e em Santa Catarina. No dia 8 de julho, em Salvador, Bahia, um biscateiro, de 48 anos, quase foi linchado, pois tentara violentar a própria mãe, de 70 anos. Em Florianópolis, no dia 15 de maio, um homem matou a tiros numa boate quatro pessoas e feriu outras três. Houve início de linchamento, mas conseguiu fugir para um matagal, onde foi capturado e salvo por policiais militares – *O Estado de S. Paulo*, artigo de José de Souza Martins, 28/8/2005.

Linchamento em São Paulo e no Rio de Janeiro. No sábado, 19 de março, o ajudante de caminhão Fábio Luiz, de 22 anos, em Jacarepaguá, no Rio de Janeiro, começou a ser linchado por vizinhos, levou um tiro na perna e foi salvo pela polícia. Fora acusado de estuprar a enteada, de dois anos e oito meses, que morreu a caminho do Hospital. O estupro foi confirmado. Um homem foi linchado na tarde de terça-feira, 4 de janeiro, no Campo Limpo, Zona Sul de São Paulo, por ter roubado R$ 50,00 de uma mercearia e fugido de bicicleta com um comparsa – *O Estado de S. Paulo*, artigo de José de Souza Martins, 28/8/2005.

Acusado de matar enteada, ameaçado de linchamento. Temendo uma possível ação de linchamento, a delegada Elizabete da Cruz Pardo Figueiredo, da comarca de Dionísio Cerqueira, no Extremo-oeste do estado (Santa Catarina), determinou, ontem, a transferência de Natálio dos Santos Fortes, 35 anos, para uma das cadeias públicas da região, cujo local a delegada não divulgou como medida de precaução. Natálio foi preso em flagrante, terça-feira, acusado de seviciar e matar a enteada Ana Lia Fortes, de um ano e 11 meses – *AN Notícia*, 24/7/2003.

Assalto acaba em linchamento na Zona Norte. Na tarde de hoje, dia 11, populares na Zona Norte se revoltaram com uma tentativa de assalto agredindo a socos e pontapés um assaltante que conseguiu se livrar do linchamento fugindo para um matagal, mas foi preso pela PM e agora está internado no Hospital Getúlio Vargas em conseqüência dos ferimentos – Portal de Notícias da Polícia Militar do Piauí, 11/2/2005.

Morre vítima de linchamento. Morreu nesta madrugada José Rodrigues da Silva, 51, vítima de linchamento por populares. Ele foi atacado com chutes, pedradas e pauladas por um grupo de pessoas que estariam revoltadas com a morte de David Correia da Silva, 25 anos, ocorrida pouco antes da tentativa de linchamento. O crime ocorreu no dia 13 de agosto – Bonde News (Paraná), 13/9/2005.

Tabela 1

O apoio social às punições ilegais

	Sempre certa	Certa na maioria das vezes	Errada na maioria das vezes	Sempre errada
1) Alguém condenado por estupro ser estuprado na cadeia pelos outros presos é uma situação:	26	13	15	46
2) A polícia espancar presos para eles confessarem crimes é uma situação:	18	18	18	46
3) A polícia matar assaltantes e ladrões depois de prendê-los é uma situação:	15	15	22	48
4) A população linchar suspeitos de crimes muito violentos é uma situação:	15	13	20	52
5) Fazer justiça com as próprias mãos é uma situação:	5	8	15	72
6) Pagar alguém para matar suspeitos de crimes é uma situação:	3	2	10	85

Quase 40% da população brasileira acham certo que alguém condenado por estupro seja vítima do mesmo crime na cadeia. Percentual que caracteriza um amplo apoio à aplicação não institucional de punições. A segunda maior concordância com a ilegalidade ocorre em relação à tortura: pouco mais de 1/3 da população considera correto que a polícia bata nos presos para obter confissões de supostos crimes. Vale lembrar que o Código de Processo Penal brasileiro considera a tortura legal caso seja utilizada como meio para a obtenção da confissão do crime. Para os sociólogos do Direito, é mais uma evidência de que as leis são o retrato da mentalidade da sociedade.

As duas situações subseqüentes, a polícia matar assaltantes/ladrões e a população linchar suspeitos de crimes, contam com a aprovação de, respectivamente, 30% e 28% da população. Por último, o apoio social à lei de Talião é muito pequeno quando se trata de "fazer justiça com as próprias mãos" e "pagar terceiros para matar suspeitos de crimes".

Outra forma – não menos chocante – de ler os dados é analisar a proporção dos que consideram cada uma dessas situações "sempre erradas". Eles representam quase metade da população brasileira. Isso quer dizer que a outra metade considera que essas punições podem vir a ser utilizadas. Depende apenas das circunstâncias.

Os dados das Tabelas 2 a 4 irão mostrar que, das quatro situações nas quais a discordância é maior,* é possível perceber que o Brasil está dividido entre, de um lado, os que moram no Nordeste e Centro-Oeste, que são mais jovens e têm escolaridade mais baixa, e do outro, os que moram no Sudeste e no Sul, são mais velhos e têm escolaridade mais elevada. Não há diferença no apoio a punições ilegais para moradores de capitais *versus* moradores de não-capitais, nem para homens e mulheres ou para a população economicamente ativa ou não.

Tabela 2

Os habitantes do Nordeste e do Centro-Oeste apóiam mais as punições ilegais do que as pessoas que moram nas demais regiões do Brasil

	Alguém condenado por estupro ser estuprado na cadeia pelos outros presos é uma situação:		A polícia matar assaltantes e ladrões depois de prendê-los é uma situação:		A polícia espancar os presos para eles confessaram crimes é uma situação:		A população linchar suspeitos de crimes muito violentos é uma situação:	
	Certa	Errada	Certa	Errada	Certa	Errada	Certa	Errada
Norte	37	63	27	73	41	59	29	71
Centro-Oeste	49	51	35	65	34	66	33	67
Nordeste	37	63	38	62	46	54	33	67
Sudeste	38	62	24	76	32	68	22	78
Sul	40	60	29	71	30	70	30	70

*Essas situações foram selecionadas depois de realizada uma análise estatística que permitiu identificar quais das nove situações sobre punições ilegais eram as que mais diferenciavam a população.

O Nordeste e o Centro-Oeste são as regiões em que a população mais apóia a lei de Talião. Praticamente 50% dos habitantes do Centro-Oeste consideram correta a primeira situação. Nas outras regiões do país, essa proporção cai para cerca de 40%. É também no Centro-Oeste que o linchamento é mais aceito, e a região é a segunda colocada – atrás do Nordeste – na aprovação ao assassinato de criminosos presos. O Nordeste também é líder no apoio à tortura como método de investigação (Tabela 2).

No outro extremo, está a região Sudeste. Trata-se da região que menos favorece as punições ilegais. Ainda assim, aproximadamente 1/3 de sua população aprova o uso da tortura para que os acusados confessem um crime. Pior ainda, quase 40% dos habitantes do Sudeste defendem o estupro de estupradores.

Entre os dois extremos estão as regiões Norte e Sul. É interessante constatar que no Norte o apoio à tortura é muito elevado, 41% são favoráveis, ficando atrás apenas do Nordeste.

A análise desses resultados por região, faixa etária e escolaridade considerou a soma dos percentuais "sempre certa" e "certa na maioria das vezes". Isto significa que a resposta "errada na maioria das vezes" foi somada a "errada sempre". Todavia, aplicando-se um critério mais rigoroso para julgar os valores da população, pode-se argumentar que as pessoas que consideram uma punição ilegal errada na maioria das vezes admitem a possibilidade de que ela seja utilizada "na minoria das vezes". Ou seja, pode-se lançar mão dela conforme as circunstâncias. Isso torna a conclusão mais chocante: a proporção dos que defendem punições ilegais é maior do que a simples soma dos que acham que ela está "certa", seja "certa sempre" ou na "maioria das vezes".

Tabela 3

Os mais jovens apóiam mais as punições ilegais do que os mais velhos

	Alguém condenado por estupro ser estuprado na cadeia pelos outros presos é uma situação:		A polícia matar assaltantes e ladrões depois de prendê-los é uma situação:		A polícia espancar os presos para eles confessarem crimes é uma situação:		A população linchar suspeitos de crimes muito violentos é uma situação:	
	Certa	Errada	Certa	Errada	Certa	Errada	Certa	Errada
18 a 24	49	51	27	73	40	60	31	69
25 a 34	42	58	31	69	34	66	32	68
35 a 44	40	60	30	70	40	60	25	75
45 a 59	33	67	30	70	36	64	26	74
60 ou mais	27	73	27	73	27	73	22	78

Uma divisão importante na sociedade brasileira é por geração: os mais jovens são mais favoráveis às punições ilegais do que os mais velhos (Tabela 3). Quase 50% da população entre 18 e 24 anos defendem que os estupradores sejam punidos por seus companheiros de prisão e quase 1/3 apóia o assassinato de assaltantes e o linchamento de suspeitos de crimes violentos. Além disso, 40% das pessoas nessa faixa de idade defendem a tortura como instrumento de investigação.

No outro extremo das faixas de idade, as pessoas com 60 anos ou mais, há uma grande queda na proporção dos que querem o "olho por olho, dente por dente" aplicado aos estupradores (27%) ou que acreditam que o linchamento deva ser usado para acusados de crimes muito violentos (pouco mais de 20%). Vale registrar que a idade não interfere quando se trata do assassinato de ladrões e assaltantes pela polícia. Para todas as faixas de idade aproximadamente 30% são a favor e 70% contra.

Tabela 4

Pessoas de escolaridade mais baixa apóiam mais as punições ilegais do que as de escolaridade mais alta

	Alguém condenado por estupro ser estuprado na cadeia pelos outros presos é uma situação:		A polícia matar assaltantes e ladrões depois de prendê-los é uma situação:		A polícia espancar os presos para eles confessaram crimes é uma situação:		A população linchar suspeitos de crimes muito violentos é uma situação:	
	Certa	Errada	Certa	Errada	Certa	Errada	Certa	Errada
Analfabeto	29	71	40	60	51	49	27	73
Até a 4ª série	40	60	35	65	44	56	32	68
Da 5ª à 8ª série	45	55	35	65	41	59	33	67
Ensino médio	41	59	23	77	31	69	24	76
Superior ou mais	26	74	17	83	14	86	17	83

As diferenças se tornam mais expressivas quando analisamos essa aprovação por faixas de escolaridade. Nesse aspecto, as distâncias são ainda maiores do que entre as faixas de idade, e a tortura é um grande divisor de águas. Pouco mais de 50% das pessoas sem instrução formal a defendem. Essa proporção cai gradativamente para 44% daqueles que têm o primário, 41% dos que completaram o primeiro grau, 31% dos que têm o segundo grau completo e apenas 14% das pessoas com diploma universitário. Essa queda gradativa também ocorre na segunda situação (Tabela 4).

É preciso muita mudança para que as ações da polícia sejam mais controladas: mudanças internas, que dizem respeito à sua própria organização; e externas, na mentalidade da sociedade. Nesse último aspecto, os valores só mudarão quando aumentar a escolaridade da população, preferencialmente com a universalização do ensino superior e a ampliação do contingente de pessoas com ensino médio completo. À medida que isso acontecer, as denúncias sobre "abusos" da polícia passarão a ser consideradas mais escandalosas. Assim, ou a polícia cometerá menos abusos ou os fará de forma mais discreta. Em qualquer das situações, diminuirá a margem de manobra da corporação para punições fora da lei.

O linchamento e o estupro para estuprador estão associados a valores sociais mais gerais, ou seja, estão menos relacionados com o nível educacional. O segundo caso tem mais apoio (e no mesmo nível de 40%) das escolaridades do meio da escala – ensino fundamental e médio – e menor aprovação (também no mesmo patamar de 25 a 30%) para os dois extremos de escolaridade, superior completo e sem instrução.

Uma mentalidade bem arraigada

Pode-se pensar que a defesa de punições ilegais está relacionada a fatores como o medo de ser vítima de algum tipo de violência, ao fato de já ter sido vítima, ou mesmo à avaliação e à confiança que se tem na polícia. A lógica é simples: pessoas mais assustadas, com um sentimento de insegurança mais forte, tenderiam a ser mais favoráveis ao "olho por olho, dente por dente" do que as que se sentem mais seguras. Da mesma maneira, quem já foi vítima de violência, seja assalto ou roubo de domicílio ou qualquer outra modalidade, apoiaria mais a punição do estupro na cadeia e a morte para bandidos.

Os dados da Tabela 5 deixam evidente que quem já foi vítima de assalto à mão armada pensa da mesma maneira de quem não foi quando se trata do assassinato de assaltantes pela polícia: 29% e 30%, respectivamente, consideram isso certo. Igual análise foi feita para outras vítimas de crime: roubo de domicílio, roubo de carro, agressão na rua e ser roubado por um ladrão sem armas. E as demais punições também foram analisadas.

Tabela 5

A vitimização não tem impacto no apoio a punições ilegais

A polícia matar assaltantes e ladrões depois de prendê-los é uma situação:			
		Certa	Errada
Foi vítima de assalto à mão armada	Não	29	71
	Sim	30	70

Em todos os casos, a diferença percentual entre vítimas e não-vítimas é estatisticamente irrelevante. O que refuta de maneira bastante convincente o argumento de que os que passaram por situações de violência defenderiam mais as punições ilegais do que os que não passaram. Pelos dados da Tabela 6 verifica-se que isso não é verdade.

Também nesse caso as informações referentes às outras punições ilegais foram analisadas à luz de outras formas de sensação de insegurança, como a chance de ter a casa roubada, e o nível de segurança atribuído à rua e ao bairro onde mora. O resultado encontrado foi o mesmo: as diferenças estatisticamente irrelevantes refutaram a crença de que as pessoas que se sentem mais inseguras apóiam mais a ilegalidade no combate à violência do que os que se sentem mais seguros.

Tabela 6

A sensação de insegurança não tem impacto no apoio a punições ilegais

A polícia matar assaltantes e ladrões depois de prendê-los é uma situação:			
		Certa	Errada
Opinião sobre a chance de ser assaltado	Muito pequena/ nenhuma	29	71
	Pequena	28	72
	Grande	29	71
	Muito grande	33	67

Um terceiro argumento muito difundido relaciona a imagem das instituições de combate ao crime com a defesa de ações ilegais. Em outras palavras, a confiança e a avaliação que uma determinada população faz da polícia também teriam influência nesse tipo de mentalidade. Segundo esse argumento, quanto pior a imagem dessas instituições, maior o apoio a punições fora-da-lei. Mas o fato é que se tais fatores podem acentuar esse quadro, nenhum deles está associado à elevada aprovação à lei de Talião.

Os dados da Tabela 7 indicam que a confiança na polícia não tem relação linear com a defesa do assassinato de ladrões. Fica claro que os que confiam pouco e os que confiam muito na polícia apóiam mais as punições ilegais do que a população que confia apenas medianamente. A surpresa fica por conta daqueles que confiam muito: são justamente eles os que mais defendem que a polícia mate os ladrões depois de prendê-los. Percebe-se uma lógica para esse resultado: exatamente porque confiam muito na polícia mais admitem que ela possa executar um criminoso.

Tabela 7

Confiança na Polícia Militar e apoio a punições ilegais

A polícia matar assaltantes e ladrões depois de prendê-los é uma situação:			
		Certa	Errada
Nível de confiança na Polícia Militar	Não confia	34	66
	Confia pouco	25	75
	Confia	28	72
	Confia muito	39	61

Ainda sobre a avaliação que a população faz da atuação da Polícia Militar, desmistifica-se outra suposição equivocada. Seria de acreditar que as pessoas que pior avaliam a atuação policial fossem as mais favoráveis ao combate ilegal do crime. Também não é isso que ocorre. Não há grande diferença entre os que avaliam a ação da polícia como péssima, ruim, regular ou boa. Para todos eles, algo em torno de 30% consideram certo matar assaltantes depois de prendê-los. Apenas na avaliação ótima é que o patamar de apoio à ilegalidade se eleva bastante: 43%! Isso reforça o diagnóstico – bastante lamentável – de que quando a população faz uma boa avaliação da polícia e confia nela, há a tendência a ser mais tolerante com suas ações ilegais (Tabela 8).

Tabela 8

Avaliação da Polícia Militar e apoio a punições ilegais

A polícia matar assaltantes e ladrões depois de prendê-los é uma situação:			
		Certa	Errada
Avaliação da atuação da Polícia Militar	Péssima	30	70
	Ruim	26	74
	Regular para ruim	29	71
	Regular para boa	33	68
	Boa	29	71
	Ótima	43	57

Todos os argumentos clássicos para explicar as diferenças entre a população no que tange ao apoio à lei de Talião não se sustentam diante de todas essas evidências. O fato é que a população brasileira é dividida por valores muito arraigados, que tendem a mudar de maneira muito lenta.

A conjuntura, isto é, aumentar a sensação de segurança, diminuir as taxas de vitimização por meio de políticas públicas, ou melhorar a imagem da polícia têm um impacto menor do que a elevação da escolaridade média da população. O fato é que a aprovação às punições ilegais faz parte de uma mentalidade muito enraizada na população e efetivamente dependente da escolaridade para mudar. Esse aumento do nível de educação leva tempo e exige a substituição de gerações. Mas há ainda um outro fator, além da educação, que influencia o apoio às punições ilegais: o nível de religiosidade.

Tabela 9

Religiosidade e apoio a punições ilegais

Religiosidade	Alguém condenado por estupro ser estuprado na cadeia pelos outros presos é uma situação:		A polícia matar assaltantes e ladrões depois de prendê-los é uma situação:		A polícia espancar os presos para eles confessarem crimes é uma situação:		A população linchar suspeitos de crimes muito violentos é uma situação:	
	Certa	Errada	Certa	Errada	Certa	Errada	Certa	Errada
Alta	31	69	22	78	31	69	19	81
Média alta	38	62	28	72	41	59	27	73
Média baixa	44	56	35	65	42	58	33	67
Baixa	40	60	35	65	34	66	29	71

Nesse caso, uma clara distância separa os mais e os menos religiosos. Entenda-se religiosidade como expressa por uma combinação de freqüência a missas/cultos religiosos com a constância de orações. Quanto mais uma pessoa faz as duas coisas, mais religiosa ela é. Fica evidente que os mais ligados à religião são bem mais refratários a qualquer tipo de punição ilegal do que os menos religiosos (Tabela 9).

A ética religiosa e o seu reforço por meio das atividades típicas das igrejas fazem com que as pessoas cultivem uma visão de mundo mais institucional, isto é, tolerem menos as punições ilegais. Talvez até nem haja razão institucional alguma, ou essas razões institucionais sejam menos importantes do que as motivações humanas. O humanismo religioso do Novo Testamento, que rejeita o "olho por olho" do Antigo Testamento, está baseado na regra de ouro: "não façais aos outros o que não queres que façam a ti". Estuprar um estuprador, linchar, torturar, assassinar pessoas indefesas, ainda que criminosos, são ações rejeitadas pela religião cristã, seja católica ou evangélica. Os que professam o credo cristão com maior freqüência rejeitam mais esses procedimentos do que os menos praticantes.

No mundo inteiro, pesquisas têm indicado que a religião perde influência sobre o comportamento humano. As sociedades se tornam a cada dia menos religiosas. Trata-se de fenômeno mundial, que também pode estar acontecendo no Brasil, na mesma medida em que avança o nível de escolaridade da população. Mas essa afirmação só poderá ser feita com clareza depois de se analisarem pesquisas feitas a longos intervalos de tempo, de cinco anos a uma década.

A religião cristã sempre foi um importante fator de controle social: sobre o comportamento sexual, o corpo da mulher, a domesticação dos empregados diante dos patrões, além, é claro, de ter moldado a ética de sociedades inteiras. A perda de poder da religião não apenas nas diversas modalidades de controle social, mas principalmente na capacidade de apontar aos indivíduos o certo e o errado coloca uma importante questão de inspiração conservadora: o que desempenhará esse papel no lugar da religião?

Até recentemente, as interpretações dominantes do Novo Testamento permitiram aos fiéis condenar a tortura, o linchamento e o assassinato de pessoas indefesas. Mas se a religião perder, ainda que lentamente, sua capacidade de coibir os indivíduos de tais práticas, então quem o fará? É nesse cenário que a educação escolar se torna fundamental. A ética da cidadania moderna, ensinada desde a pré-escola, prescreve que a maneira correta de lidar com acusados de crimes é por meio das instituições do sistema jurídico, nas quais os acusados têm direito de defesa. Os trâmites legais prevêem punições para cada tipo de crime. Não são os indivíduos que punem os criminosos, mas as instituições e suas regras impessoais. Daí o caráter inaceitável do estupro para o estuprador, do linchamento e do assassinato de pessoas indefesas, mesmo que suspeitas de ter cometido crimes.

Ao que parece, essa cidadania secular e moderna, que condena as punições ilegais e a tortura, no Brasil está fortemente relacionada à educação de nível superior, e em menor grau ao colegial completo. Em outras palavras, a incorporação do ideário democrático e liberal precisa esperar mais de 11 anos de formação escolar, quando poderia ser alcançada com apenas quatro ou mesmo oito anos de escolaridade formal completa. A relação entre escolaridade e religiosidade mostra que a primeira é fundamental para que as práticas ilegais sejam coibidas (Tabela 10).

Tabela 10

Escolaridade, religiosidade e apoio a punições ilegais

Escolaridade	Religiosidade	A polícia matar assaltantes e ladrões depois de prendê-los é uma situação:	
		Certa	Errada
Analfabeto	Alta	24	76
	Média alta	32	68
	Média baixa	46	54
	Baixa	50	50
Até a 4ª série	Alta	25	75
	Média alta	27	73
	Média baixa	38	62
	Baixa	52	48
Da 5ª à 8ª série	Alta	29	71
	Média alta	38	62
	Média baixa	41	59
	Baixa	31	69
Ensino médio	Alta	20	80
	Média alta	26	74
	Média baixa	29	71
	Baixa	22	78
Superior ou mais	Alta	10	90
	Média alta	9	91
	Média baixa	19	81
	Baixa	27	73

Entre os que têm o nível superior completo e são pouco religiosos, 27% consideram certo a polícia matar assaltantes depois de prendê-los. É praticamente a mesma proporção dos que têm escolaridade baixa, analfabetos ou dos que não têm nenhum grau de instrução formal concluído, mas são altamente religiosos. As pessoas com superior completo, para qualquer nível de religiosidade, são sempre menos tolerantes com essas práticas do que as pessoas das demais faixas de escolaridade. A única exceção fica por conta de quem tem o ensino médio completo e é pouco religioso: 22% apóiam a ação ilegal da polícia contra 27% no nível superior. Essa exceção não invalida a conclusão acerca da enorme importância do grau de escolaridade, em particular do superior completo, para que as premissas da cidadania moderna sejam defendidas. No Brasil de hoje, mais uma vez, a conclusão é a mesma: a forma mais eficiente para combater o apoio às punições fora-da-lei é o aumento da escolaridade da população.

capítulo 6

Sexualidade: na teoria, a prática é outra

capítulo 6

"Que vantagem Maria tem?
É boa
Como é que Maria vive?
À toa
Com quem é que Maria vive?
Comigo
Onde é que Maria mora?
Não digo
Oi, não digo, não digo
Porque tenho certeza
Certeza porque sou escolado
Mulher é negócio de lado
E amigo é melhor separado"
"Maria boa", de Assis Valente

Com freqüência, jornais e revistas voltados para o público de classe A no Brasil apresentam reportagens sobre práticas sexuais liberais: troca de casais, *wife sharing*, casamento aberto, poliamor (amar mais de uma pessoa ao mesmo tempo) e variações semelhantes. Em junho de 2005, no lançamento de mais um CD do grupo Kid Abelha, *Pega vida*, a música "Poligamia" alcançou grande evidência nesse tipo de mídia. Diz a letra da música composta por George Israel e Paula Toller:

Meus amores não são implicantes
Com meus outros amantes
Corcovado ou escada rolante
Tudo isso convém
Todo homem merece um harém
Toda mulher também

Uma grande quantidade de páginas na internet abre a possibilidade de encontros sexuais liberais para todo tipo de gosto. Sem contar que, anualmente, o carnaval proporciona a brasileiros e estrangeiros um espetáculo dos mais diversos graus de nudez. E as novelas, já há alguns anos, explicitam o tema, exibindo, em horário nobre, cenas que são a ante-sala do sexo explícito. Parece que o brasileiro só pensa "naquilo".

Mas será que isso realmente é verdade? Até que ponto a aparência de liberalidade esconde, na verdade, uma visão conservadora da sexualidade? Pode ser que o liberalismo sexual esteja presente em um universo restrito de pessoas mais escolarizadas, que residem nos grandes centros urbanos ou capitais e trabalham fora. Mas e o Brasil como um todo, o que pensa sobre práticas sexuais?

Marido: – Quando você vai fazer sexo anal comigo?
Mulher: – Vou pensar no assunto.

Quando se procura ouvir opiniões pelo país afora – e isso inclui, obviamente, o expressivo contingente de pessoas de baixa escolaridade –, percebe-se o enorme conservadorismo do brasileiro quando o assunto é sexo. É, por exemplo, praticamente unânime a rejeição ao homossexualismo masculino e feminino: 89% são contra o primeiro e 88% contra o segundo. O sexo anal também é fortemente rejeitado: 74% se dizem contrários – 15% menos do que a rejeição ao homossexualismo.

Esses resultados surpreendem os que consideram que a maneira de pensar das classes altas das grandes capitais é a mesma do restante da população. Muitas vezes, a visão que se tem do país está deturpada pela percepção que se tem do grupo social a que se pertence e com o qual se convive. Na verdade, vários abismos separam os brasileiros quanto a valores relacionados ao sexo: idade, escolaridade, religião e religiosidade, só para citar alguns. Essas diferenças tornam possível compreender por que o brasileiro médio não aprova nem o homossexualismo nem outras modalidades alternativas de relações sexuais.

Tabela 1

Um país conservador em relação às práticas sexuais

	Totalmente contra	Um pouco contra	Nem contra nem a favor	Um pouco a favor	Totalmente a favor
Opinião sobre o homossexualismo masculino	81	8	3	3	5
Opinião sobre o homossexualismo feminino	78	10	3	4	6
Opinião sobre o sexo anal entre homem e mulher	60	14	4	12	11
Opinião sobre o homem fazer sexo oral na companheira	50	11	3	15	21
Opinião sobre o uso de revistas pornográficas para excitação sexual	49	16	3	19	12
Opinião sobre a mulher fazer sexo oral no companheiro	49	11	3	16	21
Opinião sobre a masturbação feminina	44	14	4	17	21
Opinião sobre a masturbação masculina	40	16	3	20	21
Opinião sobre todo tipo de relação sexual voluntária	24	10	3	19	44

Esse conservadorismo é bastante claro. Apenas quando se trata de opinar sobre o comportamento sexual de uma maneira teórica, numa frase em que não se fala em práticas concretas, é que a rejeição diminui. Em teoria, apenas 34% da população (24% totalmente contra e 10% um pouco contra) rejeitam todo tipo de relação sexual voluntária. Mas quando se apresentam práticas concretas, a coisa muda de figura. Diante dos oito exemplos de variantes do comportamento sexual, a maioria, bem mais do que 51%, é contra. Isso permite supor que somente o sexo tradicional é bem aceito.

Como se pode ver pela tabela, o sexo oral e o uso de revistas pornográficas estão em um patamar inferior apenas ao atribuído ao homossexualismo. Nesse caso, os totalmente contrários incluem aproximadamente metade da população; e quando somados aos que são totalmente aos que são apenas um pouco contra, o nível de rejeição se eleva para um patamar pouco acima de 60%. Tanto faz se o sexo oral é masculino ou feminino, o resultado é muito semelhante: praticamente 60% desaprovam.

Beijo gay gera confusão em shopping

Por causa de um beijo na boca, os homossexuais João Xavier, de 25 anos, e Rodrigo, de 21, afirmam que foram discriminados por seguranças do Shopping Frei Caneca, na Bela Vista, região central de São Paulo, na noite do último dia 6 de julho. Xavier conta que após o beijo eles foram separados pelo segurança no saguão de entrada do shopping.

Xavier afirma que deu um beijo, tipo "selinho", abraçou Rodrigo e quando caminhavam para o cinema foram interrompidos pelo segurança. Segundo Xavier, ao separá-los, o segurança informou que não eram aceitos beijos e abraços entre homossexuais e que o shopping estava enfrentando problemas por causa disso.

Quando perguntei se beijo entre homem e mulher era permitido, ele respondeu: "Aí é diferente."

No quarto nível de rejeição se encontram a masturbação masculina e a feminina. Pouco menos da maioria, 40% e 44% respectivamente, desaprovam totalmente. Porém, quando se soma esse percentual aos que são um pouco contra tem-se 58% de opositores da masturbação feminina e 56% da masculina. Digamos que, por ora, em termos de aceitação sexual, o Brasil é o país do papai-e-mamãe.

Tabela 2

Sudeste e Sul mais liberais *versus* Nordeste e Norte mais conservadores

		Norte	Centro-Oeste	Nordeste	Sudeste	Sul	*
Opinião sobre o uso de revistas pornográficas para excitação sexual	Contra	70	72	73	61	64	
	Nem contra nem a favor	0	2	2	5	2	
	A favor	30	26	25	35	34	10
Opinião sobre a masturbação masculina	Contra	71	57	67	48	54	
	Nem contra nem a favor	2	2	1	5	2	
	A favor	27	42	31	46	44	15
Opinião sobre o sexo anal entre um homem e uma mulher	Contra	82	74	80	71	70	
	Nem contra nem a favor	1	2	1	6	3	
	A favor	17	25	19	23	27	4
Opinião sobre o homem fazer sexo oral na companheira	Contra	70	66	74	54	56	
	Nem contra nem a favor		1	1	5	3	
	A favor	30	33	25	41	41	16
Opinião sobre o homossexualismo masculino	Contra	91	94	92	85	92	
	Nem contra nem a favor	2	1	2	5	1	
	A favor	7	5	6	11	7	5
Opinião sobre a masturbação feminina	Contra	75	63	68	50	54	
	Nem contra nem a favor	2	1	2	5	3	
	A favor	23	36	29	44	44	15
Opinião sobre a mulher fazer sexo oral no companheiro	Contra	67	66	72	54	54	
	Nem contra nem a favor	1	1	1	5	3	
	A favor	32	34	27	42	43	15
Opinião sobre o homossexualismo feminino	Contra	92	92	92	83	90	
	Nem contra nem a favor	1	1	2	5	1	
	A favor	6	7	7	12	9	5
Opinião sobre todo tipo de relação sexual voluntária	Contra	38	37	39	31	32	
	Nem contra nem a favor	1	1	1	5	2	
	A favor	61	62	60	64	66	4

*Esta coluna representa a diferença entre as regiões Sudeste e Nordeste, considerando-se as respostas a favor.

Quando se trata da aceitação de práticas sexuais liberais, a segmentação por variáveis demográficas tradicionais é bastante reveladora. Norte e Nordeste são as duas regiões mais conservadoras do Brasil: ao se tirar uma média das nove respostas – as oito situações concretas e a frase teórica sobre todo tipo de relação sexual voluntária –, o resultado mostra que apenas 26% das populações do Nordeste e do Norte são a favor. Essa mesma média sobe para 30% no Centro-Oeste e para 35% no Sudeste e no Sul.

No quadrado à direita da tabela está o resultado da diferença entre Nordeste e Sudeste acerca da aprovação (respostas a favor) de práticas sexuais. As revistas pornográficas como recurso para excitação sexual têm, no Sudeste, uma aprovação 10 pontos percentuais mais alta do que no Nordeste. O homossexualismo masculino e feminino, o sexo anal e toda variação sexual voluntária tem uma diferença ainda menor. Ou seja, com relação a esses temas – sexo anal, homossexualismo e revistas pornográficas –, o Brasil é muito homogêneo do ponto de vista regional.

As diferenças aparecem quando se trata de sexo oral e masturbação: as populações do Sul e Sudeste são bem mais favoráveis do que os habitantes do Nordeste. A maior diferença é de 15 pontos percentuais entre os que moram no Sudeste, mais tolerantes à masturbação feminina, e os habitantes do Nordeste.

Apesar dessas diferenças, é interessante notar que mesmo no Sudeste não há nenhum percentual que indique um maior liberalismo sexual. A proporção mais elevada dessa aprovação é para a masturbação masculina, de 46%.

Tabela 3

Capitais mais liberais *versus* não-capitais mais conservadoras

		Não-capital	Capital	*
Opinião sobre o uso de revistas pornográficas para excitação sexual	Contra	67	61	
	Nem contra nem a favor	3	3	
	A favor	29	36	7
Opinião sobre a masturbação masculina	Contra	59	48	
	Nem contra nem a favor	3	3	
	A favor	38	49	11
Opinião sobre o sexo anal entre um homem e uma mulher	Contra	76	68	
	Nem contra nem a favor	4	4	
	A favor	20	28	8
Opinião sobre o homem fazer sexo oral na companheira	Contra	65	51	
	Nem contra nem a favor	3	3	
	A favor	32	46	14
Opinião sobre o homossexualismo masculino	Contra	90	85	
	Nem contra nem a favor	2	4	
	A favor	7	11	4
Opinião sobre a masturbação feminina	Contra	61	50	
	Nem contra nem a favor	4	3	
	A favor	35	47	12
Opinião sobre a mulher fazer sexo oral no companheiro	Contra	63	51	
	Nem contra nem a favor	3	3	
	A favor	33	46	13
Opinião sobre o homossexualismo feminino	Contra	89	83	
	Nem contra nem a favor	3	3	
	A favor	8	14	6
Opinião sobre todo tipo de relação sexual voluntária	Contra	36	28	
	Nem contra nem a favor	3	2	
	A favor	60	70	10

*Esta coluna representa a diferença entre os que moram na capital e os da não-capital, considerando-se as respostas a favor.

Mais uma vez, fica evidente que os que moram nas capitais são mais liberais do que os habitantes das demais cidades. Para todas as situações, o quadrado à direita da tabela mostra que, nas capitais, as pessoas são, em média, 9 pontos percentuais mais favoráveis à liberação sexual do que quem mora em outras cidades. Nas capitais, quase se atinge uma maioria favorável (51% ou mais) à masturbação e ao sexo oral, tanto no caso masculino quanto no feminino. A proporção mais alta é a favor da masturbação masculina, 49%, seguida da masturbação feminina, 47%, e do sexo oral masculino e feminino, que tem o apoio de 46% da população das capitais.

Masturbação e sexo oral separam as populações das capitais e das não-capitais. Mas a rejeição ao homossexualismo masculino as une: 85% contra nas capitais e 90% nas não-capitais. É interessante que o homossexualismo feminino nas capitais seja mais tolerado do que o masculino: 14% e 11% a favor, respectivamente.

Tabela 4

Trabalhar faz muita diferença

		Não-PEA	PEA	*
Opinião sobre o uso de revistas pornográficas para excitação sexual	Contra	73	62	
	Nem contra nem a favor	4	3	
	A favor	23	35	12
Opinião sobre a masturbação masculina	Contra	65	52	
	Nem contra nem a favor	5	3	
	A favor	30	45	15
Opinião sobre o sexo anal entre um homem e uma mulher	Contra	80	71	
	Nem contra nem a favor	4	3	
	A favor	15	26	10
Opinião sobre o homem fazer sexo oral na companheira	Contra	73	56	
	Nem contra nem a favor	4	3	
	A favor	23	41	19
Opinião sobre o homossexualismo masculino	Contra	90	88	
	Nem contra nem a favor	4	3	
	A favor	7	9	2
Opinião sobre a masturbação feminina	Contra	69	53	
	Nem contra nem a favor	5	3	
	A favor	26	44	18
Opinião sobre a mulher fazer sexo oral no companheiro	Contra	73	54	
	Nem contra nem a favor	4	3	
	A favor	23	43	20
Opinião sobre o homossexualismo feminino	Contra	90	86	
	Nem contra nem a favor	3	3	
	A favor	7	11	4
Opinião sobre todo tipo de relação sexual voluntária	Contra	43	30	
	Nem contra nem a favor	5	2	
	A favor	53	67	15

*Esta coluna representa a diferença entre os que pertencem à PEA e aos Não-PEA, considerando-se as respostas a favor.

Trabalhar também faz muita diferença quando se trata de apoiar comportamentos sexuais mais liberais. Ao analisarmos em conjunto as oito situações, a distância de mentalidade entre quem trabalha e quem não trabalha é maior do que entre Sudeste e Nordeste ou capitais e não-capitais:

- Sudeste: 35% de apoio médio
- Nordeste: 26% de apoio médio
- Diferença de 9 pontos percentuais
- Capital: 38% de apoio médio
- Não-capital: 29% de apoio médio
- Diferença de 9 pontos percentuais
- PEA: 36% de apoio médio
- Não-PEA: 23% de apoio médio
- Diferença de 13 pontos percentuais

Os que pertencem à população economicamente ativa (PEA) são, em média, 13 pontos percentuais mais favoráveis às situações de maior liberação sexual do que os que não pertencem à PEA. Essa diferença é de apenas 9 pontos percentuais para as comparações regionais e de características de cidade feitas anteriormente. Em todas as diferenças, há um resultado recorrente. O que mais separa as opiniões são o sexo oral e a masturbação. Os mais conservadores são contrários a tudo, inclusive a essas duas práticas. À medida que alguém se torna um pouco menos conservador, começa por ser favorável ao sexo oral e à masturbação, tanto masculina quanto feminina. As duas práticas, seja masculina ou feminina, são apoiadas por pouco mais de 40% das pessoas que pertencem à população economicamente ativa. Mas essa aprovação desce para um patamar que vai de 23% a 30% quando se trata das pessoas que não pertencem à PEA. É interessante notar outra diferença importante entre esses dois grupos: sexo anal. Embora aprovado por 26% da PEA, a proporção é de apenas 15% entre os que não trabalham.

Se muitos valores no país não dependem de faixa de idade – jovens e velhos pensam da mesma maneira sobre muitos temas e questões – isso não se aplica à sexualidade. Os mais jovens são bem mais liberais do que os mais velhos.

Quando se analisa o apoio médio às práticas sexuais, incluindo a afirmativa teórica de "todo tipo de relação desde que voluntária", há um apoio decrescente segundo o aumento da faixa de idade:

- 18 a 24 anos: 42% de apoio médio
- 25 a 34 anos: 37% de apoio médio
- 35 a 44 anos: 33% de apoio médio
- 45 a 59 anos: 26% de apoio médio
- 60 anos ou mais: 15 % de apoio médio
- Diferença de 27 pontos percentuais entre os mais jovens (de 18 a 24 anos) e os mais velhos (60 anos ou mais).

O abismo entre os extremos dos grupos etários é evidente. É importante sublinhar que há uma variação monotônica: para cada degrau que se sobe nas faixas de idade, cai a aprovação a um maior liberalismo sexual. Ou seja, quanto mais velho o indivíduo, menor o apoio médio às práticas sexuais analisadas.

Tabela 5

O abismo sexual entre jovens e velhos

		18 a 24	25 a 34	35 a 44	45 a 59	60 ou mais	*
Opinião sobre o uso de revistas pornográficas para excitação sexual	Contra	54	64	66	70	78	
	Nem contra nem a favor	3	3	2	4	4	
	A favor	43	33	33	26	17	26
Opinião sobre a masturbação masculina	Contra	44	52	56	60	73	
	Nem contra nem a favor	4	3	3	4	3	
	A favor	52	45	41	36	23	29
Opinião sobre o sexo anal entre um homem e uma mulher	Contra	60	69	75	81	88	
	Nem contra nem a favor	3	4	3	4	3	
	A favor	37	28	21	15	9	28
Opinião sobre o homem fazer sexo oral na companheira	Contra	47	51	57	74	84	
	Nem contra nem a favor	3	3	3	5	2	
	A favor	50	46	40	21	14	36
Opinião sobre o homossexualismo masculino	Contra	83	88	91	89	94	
	Nem contra nem a favor	3	2	3	4	2	
	A favor	14	10	6	7	4	10
Opinião sobre a masturbação feminina	Contra	45	54	57	60	81	
	Nem contra nem a favor	4	3	3	5	3	
	A favor	51	43	39	35	16	34
Opinião sobre a mulher fazer sexo oral no companheiro	Contra	50	49	57	68	85	
	Nem contra nem a favor	3	3	3	5	3	
	A favor	47	48	41	27	11	35
Opinião sobre o homossexualismo feminino	Contra	84	85	89	88	93	
	Nem contra nem a favor	3	3	3	3	3	
	A favor	13	12	8	9	4	9
Opinião sobre todo tipo de relação sexual voluntária	Contra	24	26	33	39	56	
	Nem contra nem a favor	2	2	3	4	4	
	A favor	74	72	64	57	39	34

*Esta coluna representa a diferença entre os que têm 60 ou mais e os que têm 18 a 24 anos, considerando-se as respostas a favor.

A maior afinidade entre as diferentes faixas de idade é a opinião acerca do homossexualismo masculino e feminino. A diferença entre os mais jovens e os mais velhos é da ordem de 10 pontos percentuais: 14% das pessoas entre 18 e 24 anos são a favor do homossexualismo masculino e 13%, do feminino; proporção que cai para 4% entre as pessoas com 60 anos ou mais.

Em todas as demais opiniões, a diferença entre os mais jovens e os mais velhos é sempre superior a 25 pontos percentuais. A distância para o sexo oral, que chega a aproximadamente 35 pontos percentuais, é a maior: 47% dos mais jovens são a favor de a mulher fazer sexo oral no companheiro ao passo que apenas 11% dos que têm mais de 60 anos defendem o mesmo ponto de vista. Proporções equivalentes são obtidas para o sexo oral masculino na companheira: 50% e 14%, respectivamente.

Entre o segmento mais jovem, de 18 a 24 anos, é possível notar duas maiorias e uma divisão de 50%: a maioria, 52%, aprova a masturbação masculina; 51% apóiam a masturbação feminina; e 50%, o sexo oral do homem na mulher. Um percentual também muito próximo da maioria, 47%, aprova o sexo oral no sentido inverso.

A diferença entre gerações é grande e nos leva a perguntar se há, no horizonte, uma mudança consistente. Ou seja, será que o liberalismo sexual dos mais jovens se manterá à medida que envelhecerem? Há mudanças de mentalidade que são geracionais e estão, muitas vezes, relacionadas à escolaridade. No que tange ao sexo, a escolaridade é importante, como se verá adiante. Isso significa que podemos esperar uma profunda mudança de mentalidade em toda a sociedade à medida que as gerações forem substituídas, em particular por outras mais escolarizadas, que é justamente o que está acontecendo.

Os mais velhos são realmente mais conservadores. E é fácil entender por quê: eles foram socializados em um país diferente, que lidava de forma mais velada com os temas associados ao sexo. Além disso, a força do pensamento religioso era maior. Como já foi visto, a religiosidade molda certos valores, e os que dizem respeito ao sexo são alguns deles. Assim, o arrefecimento das práticas religiosas resulta em maior liberação sexual.

Antes, porém, de abordar de forma mais profunda os temas da escolaridade e da religião vale analisar a guerra entre os sexos, isto é, as diferenças entre as visões que homens e mulheres têm sobre práticas sexuais. Em alguns meios, é comum ouvirem-se as queixas masculinas quanto às restrições no comportamento sexual feminino. Uma das mais recorrentes é quanto ao sexo anal. Muitos homens têm a realização desse desejo bloqueada pelas restrições das parceiras. O mesmo cabo-de-guerra ocorre na prática do sexo oral. As mulheres tendem a ser mais conservadoras do que os homens, mas esses conflitos encontram respaldo na opinião pública.

Tudo isso se torna visível ao analisarmos as oito situações da tabela: a proporção média de homens que concorda com uma maior liberação sexual é 35%, enquanto entre as mulheres esse percentual cai para 29%. Mais uma vez, a maior proximidade entre grupos diferentes – nesse caso, masculino e feminino – é no que diz respeito ao homossexualismo feminino e masculino e na situação teórica de todo tipo de relação sexual voluntária. No caso do homossexualismo, homens e mulheres se aproximam em seu elevado grau de conservadorismo. No caso da situação teórica, os gêneros se aproximam na liberação sexual.

Em todas as demais situações, a diferença entre homens e mulheres é da ordem de 10 pontos percentuais, com maior liberalidade para eles do que para elas. Eles aprovam mais sexo anal, sexo oral, masturbação e uso de revistas pornográficas. Enquanto a masturbação e o sexo oral masculino e feminino têm apoio de pouco mais de 40% dos homens, o percentual de aprovação feminina fica no patamar de 30%. Para o sexo anal, o apoio masculino cai para 28%, e o das mulheres, para 18%.

Tabela 6

A guerra dos sexos

		Masculino	Feminino	*
Opinião sobre o uso de revistas pornográficas para excitação sexual	Contra	61	70	
	Nem contra nem a favor	2	4	
	A favor	37	26	11
Opinião sobre a masturbação masculina	Contra	54	58	
	Nem contra nem a favor	2	4	
	A favor	44	37	7
Opinião sobre o sexo anal entre um homem e uma mulher	Contra	69	79	
	Nem contra nem a favor	3	4	
	A favor	28	18	10
Opinião sobre o homem fazer sexo oral na companheira	Contra	56	66	
	Nem contra nem a favor	2	4	
	A favor	42	30	11
Opinião sobre o homossexualismo masculino	Contra	91	87	
	Nem contra nem a favor	2	4	
	A favor	8	9	-1
Opinião sobre a masturbação feminina	Contra	53	65	
	Nem contra nem a favor	3	4	
	A favor	44	34	10
Opinião sobre a mulher fazer sexo oral no companheiro	Contra	54	65	
	Nem contra nem a favor	3	4	
	A favor	43	31	12
Opinião sobre o homossexualismo feminino	Contra	86	89	
	Nem contra nem a favor	3	3	
	A favor	11	8	2
Opinião sobre todo tipo de relação sexual voluntária	Contra	35	33	
	Nem contra nem a favor	2	4	
	A favor	63	63	-1

*Esta coluna representa a diferença dos que são a favor.

O abismo entre as gerações ou as divergências entre os sexos são superados apenas pela distância entre as diferentes faixas de escolaridade. Mais uma vez, como ocorre em relação a outros temas, o Brasil é um país profundamente dividido entre a visão de mundo das pessoas com escolaridade superior de um lado e a mentalidade das demais escolaridades do outro. Quando se tomam as médias de apoio para as oito situações, percebe-se que quem tem o nível superior completo apresenta 55% de apoio médio. O que é 13 pontos percentuais mais elevado do que a média de apoio de quem tem o ensino médio completo. Ou seja, uma diferença maior do que entre Sudeste e Nordeste, capitais e não-capitais e equivalente à que existe entre PEA e não-PEA.

Essa diferença de mentalidade se torna ainda maior entre quem tem superior completo e quem tem escolaridade da 5ª à 8ª série – 28 pontos percentuais – do que a distância que separa jovens (18 a 24 anos) e velhos (acima de 60 anos) – 27 pontos percentuais.

- Analfabeto: 13% de apoio médio
- Até a 4ª série primária: 18% de apoio médio
- Da 5ª à 8ª série: 27% de apoio médio
- Ensino médio: 42% de apoio médio
- Superior: 55% de apoio médio
- Diferença de 42 pontos percentuais entre os mais escolarizados (grau superior) e os menos escolarizados (analfabetos). É o maior abismo no apoio a práticas sexuais mais liberais.

Tabela 7

O maior de todos os abismos: a escolaridade

		Analfabeto	Até a 4ª série	Da 5ª à 8ª série	Ensino médio	Superior ou mais	*
Opinião sobre o uso de revistas pornográficas para excitação sexual	Contra	81	76	72	57	47	
	Nem contra nem a favor	2	2	2	4	3	
	A favor	17	22	26	39	49	33
Opinião sobre a masturbação masculina	Contra	82	76	61	42	26	
	Nem contra nem a favor	2	3	3	4	4	
	A favor	17	22	36	53	71	54
Opinião sobre o sexo anal entre um homem e uma mulher	Contra	92	87	81	63	52	
	Nem contra nem a favor	1	2	4	4	5	
	A favor	7	11	16	32	43	36
Opinião sobre o homem fazer sexo oral na companheira	Contra	92	81	70	44	28	
	Nem contra nem a favor	1	2	3	4	4	
	A favor	8	16	27	52	67	60
Opinião sobre o homossexualismo masculino	Contra	97	94	92	86	75	
	Nem contra nem a favor	1	2	2	3	5	
	A favor	2	4	6	11	20	18
Opinião sobre a masturbação feminina	Contra	85	81	62	43	23	
	Nem contra nem a favor	2	3	3	5	3	
	A favor	13	16	35	51	74	60
Opinião sobre a mulher fazer sexo oral no companheiro	Contra	86	83	69	42	26	
	Nem contra nem a favor	2	3	3	4	4	
	A favor	12	14	27	54	70	58
Opinião sobre o homossexualismo feminino	Contra	94	93	90	84	74	
	Nem contra nem a favor	2	2	3	3	5	
	A favor	3	5	7	13	21	17
Opinião sobre todo tipo de relação sexual voluntária	Contra	61	49	35	23	15	
	Nem contra nem a favor	3	3	3	3	2	
	A favor	36	48	62	74	82	46

*Esta coluna representa a diferença entre os que têm nível superior e os analfabetos, considerando-se as respostas a favor.

De longe, os mais liberais em termos de mentalidade sexual no Brasil são os que têm curso superior completo. Esse grupo apresenta os maiores percentuais de respostas "a favor" para todas as oito perguntas. De todos os segmentos analisados, são os que mais apóiam o homossexualismo; mais favoráveis (em média 20%) até do que os jovens de 18 a 24 anos (em média 13%). São também, na maioria, a favor da masturbação masculina (71%) e da feminina (74%), do sexo oral do homem na mulher (67%) e da mulher no homem (70%). Falta pouco também para que predomine entre os que têm diploma universitário o apoio tanto à utilização de revistas pornográficas para excitação sexual (hoje, são 49%) quanto ao sexo anal, percentual hoje de 43%.

Mas se esse apoio a práticas sexuais liberais é grande entre os diplomados, é pequeno entre os analfabetos, tornando imensas as diferenças entre um grupo e outro, como aparece no quadrado à direita da tabela. Diferenças grandes em todos os casos, chegando a um patamar de 60 pontos percentuais para sexo oral e masturbação; seguidas de 35 pontos percentuais para sexo anal e revistas pornográficas; e aproximadamente 20 pontos percentuais no apoio ao homossexualismo.

Mas uma grande distância também separa os que têm grau superior de todas as demais escolaridades, incluindo o ensino médio. Em todas as comparações, as diferenças de mentalidade são significativas. Um exemplo: a aprovação de quem tem grau superior ao sexo oral tanto masculino quanto feminino é 15 pontos percentuais maior do que os que completaram o ensino médio.

O abismo é maior do que se possa imaginar inicialmente. Não somente as pessoas com curso superior têm uma mentalidade muito diferente das demais escolaridades, como quem tem ensino médio também se distancia muito de quem está nas faixas inferiores. Pode-se observar, por exemplo, que a maioria (mais de 51%) dos que estudaram até o ensino médio apóia a masturbação e o sexo oral tanto masculino quanto feminino. Aproximadamente 1/3 das pessoas com essa escolaridade é favorável a revistas pornográficas e sexo anal. Proporções que se tornam bem menores para os que têm entre a 5ª e a 8ª série do fundamental.

A amplitude da variação de mentalidade sexual entre a maior e a menor escolaridade é tão grande que há também diferenças significativas entre os que foram da 5ª à 8ª série e os que estudaram apenas até a 4ª série. Na pergunta sobre a masturbação feminina, por exemplo, enquanto para os primeiros o percentual de apoio é de 35%, para os segundos esse apoio cai para 16%.

Outro resultado que merece destaque, e isso se aplica em particular às pessoas de grau superior, é a convergência entre os percentuais das perguntas sobre práticas concretas com a situação teórica de todo tipo de relação sexual desde que voluntária. É nesse grupo social que os percentuais estão mais próximos. Ou seja, há maior coerência entre o que se pensa de maneira abstrata e as conseqüências concretas de tais concepções. Pelo menos quando se trata de sexo. Por exemplo, 74% dos que têm nível superior são a favor da masturbação feminina e 82% se declaram a favor da situação teórica.

Ao falar em sexo não se pode deixar de pensar em religião. Historicamente o controle religioso do corpo, em particular do corpo da mulher, foi crucial para que se impusessem regras repressivas ao comportamento sexual. Não é necessário recorrer ao fanatismo dos peregrinos (*pilgrims*) que deram origem aos Estados Unidos. Nos primórdios da colonização, em determinados estados da Nova Inglaterra, punia-se a relação sexual entre duas pessoas solteiras com multa, açoite ou com o casamento! Mesmo em tradições religiosas mais liberais e não puritanas a religião teve um papel repressivo. Os dados colhidos junto à opinião pública captaram esse fenômeno no Brasil do século XXI.

Tabela 8

Religião e liberalismo sexual

		Evangélica pentecostal	Evangélica não-pentecostal	Católica	Não tem religião	*
Opinião sobre o uso de revistas pornográficas para excitação sexual	Contra	78	76	66	48	
	Nem contra nem a favor	4	3	3	3	
	A favor	18	21	31	49	31
Opinião sobre a masturbação masculina	Contra	76	65	56	38	
	Nem contra nem a favor	6	4	3	3	
	A favor	18	31	41	59	40
Opinião sobre o sexo anal entre um homem e uma mulher	Contra	87	81	73	59	
	Nem contra nem a favor	5	2	4	3	
	A favor	8	17	23	38	30
Opinião sobre o homem fazer sexo oral na companheira	Contra	77	65	62	36	
	Nem contra nem a favor	4	3	3	3	
	A favor	18	32	35	61	42
Opinião sobre o homossexualismo masculino	Contra	95	93	90	77	
	Nem contra nem a favor	3	2	3	4	
	A favor	3	5	8	19	16
Opinião sobre a masturbação feminina	Contra	79	66	59	32	
	Nem contra nem a favor	5	4	3	2	
	A favor	16	31	38	66	49
Opinião sobre a mulher fazer sexo oral no companheiro	Contra	77	65	61	34	
	Nem contra nem a favor	4	3	3	2	
	A favor	19	31	36	63	45
Opinião sobre o homossexualismo feminino	Contra	94	91	88	78	
	Nem contra nem a favor	2	2	3	4	
	A favor	4	8	9	18	14
Opinião sobre todo tipo de relação sexual voluntária	Contra	56	36	32	23	
	Nem contra nem a favor	3	2	3	3	
	A favor	41	62	65	74	33

*Esta coluna representa a diferença entre os que não têm religião e os que são evangélicos pentecostais, considerando-se as respostas a favor.

Quando se consideram as diversas religiões, que somadas totalizam 86% da população adulta brasileira (71% de católicos, 10% de evangélicos pentecostais, 5% de evangélicos não-pentecostais e 5% sem religião), os dados são claros. Os que se declaram sem religião tendem a ser bem mais liberais do que os que são adeptos de algum credo. Como tem ocorrido em todas as comparações anteriores, as principais distinções ocorrem nos temas de masturbação e sexo oral. A maioria dos que não têm religião apóia as duas práticas, tanto masculina quanto feminina. A aprovação para as quatro situações que tratam dessas práticas é da ordem de 60%.

Na comparação entre os adeptos das várias religiões, os evangélicos pentecostais mostram-se mais reprimidos do que os não-pentecostais, que, por sua vez, são mais travados do que os católicos. Fica evidente também, ao menos quando se trata da mentalidade sexual, que os não-pentecostais estão mais próximos dos católicos do que da outra família evangélica. Por exemplo, 31% dos não-pentecostais e 36% dos católicos são favoráveis ao sexo oral da mulher no companheiro, proporção que cai para apenas 19% entre os evangélicos pentecostais. Outras respostas seguem o mesmo padrão.

A religião não é o único fator que influencia a mentalidade sexual; a religiosidade também é importante. E uma maneira de mensurá-la indiretamente é por meio da participação em missa ou culto religioso. Quanto mais freqüente a participação, maior a religiosidade de alguém.

Tabela **8**

Freqüência de participação em missa ou culto religioso e liberalismo sexual

		Mais de uma vez por semana	Uma vez por semana	Uma ou duas vezes por mês	Algumas vezes por ano	Raramente	*
Opinião sobre o uso de revistas pornográficas para excitação sexual	Contra	79	71	71	66	64	
	Nem contra nem a favor	3	3	2	3	4	
	A favor	17	26	27	31	33	16
Opinião sobre a masturbação masculina	Contra	74	62	60	53	47	
	Nem contra nem a favor	6	4	3	2	3	
	A favor	21	34	37	45	50	29
Opinião sobre o sexo anal entre um homem e uma mulher	Contra	85	80	79	68	71	
	Nem contra nem a favor	3	4	4	3	5	
	A favor	13	16	18	28	24	11
Opinião sobre o homem fazer sexo oral na companheira	Contra	79	67	64	56	54	
	Nem contra nem a favor	4	4	3	2	5	
	A favor	18	30	33	41	41	23
Opinião sobre o homossexualismo masculino	Contra	95	88	92	92	87	
	Nem contra nem a favor	3	4	2	3	3	
	A favor	3	8	6	6	10	7
Opinião sobre a masturbação feminina	Contra	79	62	64	52	51	
	Nem contra nem a favor	4	5	3	3	4	
	A favor	17	33	33	46	45	28
Opinião sobre a mulher fazer sexo oral no companheiro	Contra	77	65	63	55	56	
	Nem contra nem a favor	4	4	3	2	4	
	A favor	19	31	34	42	39	20
Opinião sobre o homossexualismo feminino	Contra	94	89	89	89	85	
	Nem contra nem a favor	2	4	3	3	3	
	A favor	3	7	8	8	12	9
Opinião sobre todo tipo de relação sexual voluntária	Contra	48	33	37	35	23	
	Nem contra nem a favor	5	4	3	3	2	
	A favor	48	63	61	62	75	27

*Esta coluna representa a diferença entre os que raramente freqüentam e os que freqüentam mais de uma vez por semana, considerando-se as respostas a favor.

Da mesma forma, também fica claro que quanto mais religiosos, menos liberais na sexualidade. O sexo oral da mulher no companheiro é aprovado por somente 19% daqueles que vão mais de uma vez por semana à missa ou culto religioso. Percentual que sobe para 39% entre os que raramente freqüentam estes eventos. Igual variação é encontrada nas perguntas sobre sexo oral do homem na companheira e na masturbação. Em todos os casos há uma variação monotônica entre aumento de religiosidade e diminuição de liberalismo sexual. Ou seja, para cada degrau que se sobe na religiosidade, reduz-se o apoio a práticas liberais no sexo.

Conservadores *versus* liberais

Imagine agora uma mulher mais velha que mora em uma cidade que não é capital, localizada na região Nordeste. Os moradores dessa região representam aproximadamente 30% da população brasileira. Se, além disso, ela não trabalhar fora, for dona-de-casa, cuidando apenas da família e dos filhos, e sua escolaridade não for das mais elevadas, se for analfabeta ou tiver completado apenas o primário, e ainda freqüentar pelo menos uma vez por semana a missa (católica) ou culto religioso (evangélica), são grandes as chances de que essa mulher rejeite o sexo oral ou anal, a masturbação feminina ou masculina e o recurso a revistas pornográficas para a excitação sexual. Para um homem com o mesmo perfil, exceto pelo fato de trabalhar fora, as chances de rejeitar as mesmas práticas não seriam muito diferentes dessa mulher nada imaginária.

No perfil oposto – homem, habitante de uma capital do Sudeste (Rio, São Paulo ou Belo Horizonte), que trabalha fora, é jovem e completou a faculdade, católico ou sem religião, mas raramente freqüentando a igreja, exceto nas cerimônias socialmente exigidas, como casamentos, batizados e missas de sétimo dia – pode-se afirmar que há grandes chances de que todas as práticas sexuais avaliadas sejam muito bem aceitas. Quadro que não seria muito diferente no caso de uma mulher com as mesmas características sociais.

Logo, a questão imediata é: quem é maioria no Brasil, o primeiro ou o segundo perfil? Que grupos são majoritários, os de pessoas religiosas ou não religiosas? De baixa ou de alta escolaridade? Gente que mora em capitais ou em outras cidades? A resposta é clara: a maioria está do lado do perfil conservador.

Como já se disse, em termos de mentalidade, o Brasil comporta dois países: o dos que têm uma visão mais liberal sobre o sexo, grupo ao qual pertencem os supostos formadores de opinião que, em algumas situações, definem o conteúdo da mídia; e dos conservadores. De escolaridade mais baixa, essas pessoas estão longe dos postos de decisão das gravadoras que lançam CDs do Kid Abelha ou das revistas que fazem reportagens sobre a liberalidade sexual.

Assim, para os que se surpreendem com o fato de o brasileiro ser conservador em matéria de sexo, fica a ressalva de que para se chegar a essa conclusão é preciso ouvir os habitantes de cada um dos dois Brasis. Caso contrário, qualquer um pode ser levado a crer que a mentalidade média do país é semelhante ao que se vê na mídia.

O Brasil é conservador, mas inevitavelmente se tornará mais liberal. No longo prazo, à medida que as gerações forem substituídas e a escolaridade aumentar, a tendência é de que a aprovação a todas essas variações sexuais mais liberais aumente bastante. Os CDs que lançarem músicas a favor do liberalismo sexual certamente estarão afinados com um público cada vez maior. A música "Poligamia" é só uma pequena amostra do que está por vir.

capítulo 7

O brasileiro ama o Estado

capítulo 7

"Você vai me seguir aonde quer que eu vá
Você vai me servir, você vai se curvar
Você vai resistir, mas vai se acostumar
Você vai me agredir, você vai me adorar
Você vai me sorrir, você vai se enfeitar
E vem me seduzir
Me possuir, me infernizar"
"Você vai me seguir", de Chico Buarque

Que político defende a privatização da Petrobras ou do Banco do Brasil? A resposta é simples: nenhum! E por que ninguém faz isso? A resposta já não é tão simples. Há quem argumente que a elite política se beneficia da natureza estatal dessas duas grandes empresas. Mas os defensores desse argumento esquecem que nos dias atuais a gerência das estatais se tornou profissional, e muitos de seus preços – é o caso dos derivados do petróleo – estão submetidos ao mercado global.

Haverá quem diga que o desenvolvimento do Brasil depende do controle estatal do petróleo e do sistema bancário. Nada mais falso quando se constata que a Microsoft – esta sim a mais estratégica de todas as empresas mundiais – é privada e nem por isso o desenvolvimento dos Estados Unidos ou de qualquer outro país está em risco. (E se o Google fosse estatal?) Outros dirão que, ao manter a administração estatal da Petrobras e do Banco do Brasil, o governo pode controlar variáveis importantes da macroeconomia. É uma pena que isso não impeça as fugas de capital, como a que obrigou o abandono da política de controle do câmbio em janeiro de 1999. Poucos afirmarão, porém, que a privatização da Petrobras e do Banco do Brasil encontraria barreiras na opinião pública.

A verdade é que um dos valores mais fortes da sociedade brasileira é o seu amor pelo Estado. De fato, o brasileiro gosta, e muito, do Estado. Não surpreende que 80% considerem que a justiça deva estar na órbita estatal. O espantoso é que mais da metade da população adulta, 51%, acredita que também os bancos devem estar sob controle estatal. Proporção que aumenta para 68% quando se abre a possibilidade de um controle conjunto de Estado e iniciativa privada.

Em uma lista de 12 setores da economia mais dois serviços tipicamente governamentais,* é apenas na telefonia móvel (celular) e na fabricação de carros que se acredita que as empresas particulares devem predominar. Trata-se de alimentar um verdadeiro Leviatã.

Para os brasileiros, o Estado deve predominar na justiça, na previdência social, na saúde, na educação, no saneamento básico, no fornecimento de água, nas estradas e rodovias, no recolhimento de lixo, na produção de energia elétrica e nos bancos. Ufa!!! Não surpreende a enorme dificuldade para implantar e manter o controle privado de estradas lucrativas, por exemplo. Com freqüência encontramos políticos prontos a defender o fim dos pedágios ou sua redução a níveis que tornariam inviável à iniciativa privada administrar estradas. Em Santa Catarina, por exemplo, parte da elite política local enaltece a ausência de pedágio, como uma grande vantagem econômica, capaz de atrair mais turistas a viajar de carro pelo estado. Quem não gosta de pedágio prefere o controle estatal das estradas. A voz do povo é a voz de Deus... e também de alguns políticos.

*Foram apresentados 12 setores da economia e dois serviços governamentais para que a população manifestasse sua preferência quanto ao controle público ou privado: educação, saúde, aposentadoria e previdência social, justiça, transporte, estradas e rodovias, fornecimento de água, recolhimento de lixo, energia elétrica, telefonia fixa, telefonia celular, bancos, produção de automóveis e saneamento básico.

Tabela 1

Estado, eu te amo

	Governo	Governo e empresas particulares	Empresas particulares
Justiça	80	11	8
Aposentadoria e previdência social	72	14	13
Saúde	71	20	9
Educação	69	22	8
Serviço de esgoto	68	9	23
Fornecimento de água	68	9	23
Estradas e rodovias	68	13	19
Recolhimento de lixo	65	11	24
Energia elétrica	64	11	25
Bancos	51	17	32
Transporte	42	19	39
Serviço de telefone fixo	42	10	47
Serviço de telefone celular	29	8	62
Fabricação de carros	22	12	67

Mais dependentes de iniciativas governamentais, os brasileiros pobres acreditam que cabe ao Estado intervir mais na economia e na vida dos indivíduos. O que não é difícil de entender: baixos níveis de escolaridade resultam em renda mais baixa; e renda mais baixa leva a um sentimento de incapacidade e impotência. Essa situação de carência em que vivem os leva a considerar o Estado uma espécie de "grande pai protetor", aquele que tem os recursos e vai olhar por ele, pobre. Opinião oposta à dos não-pobres.

Nas famílias com renda mensal de até 800 reais – e, portanto, consideradas pobres –, o percentual dos que acham que o governo deve controlar as empresas em todos os ramos da economia é bem mais elevado do que entre os não-pobres. As maiores diferenças (26 e 15 pontos percentuais, respectivamente) entre pobres e não-pobres é na administração dos bancos e no recolhimento de lixo, enquanto as menores distâncias de opinião estão no fornecimento de água e esgoto.

Tabela 2

Proporção dos que acham que o governo deve controlar as empresas de um determinado setor – os pobres são menos liberais

	Educação	Saúde	Previdência social	Transporte	Estradas e rodovias	Fornecimento de água
Até 800 reais	73	74	76	45	73	69
Acima de 801 reais	65	66	68	38	62	67

	Serviço de esgoto	Recolhimento de lixo	Energia elétrica	Telefone fixo	Telefone celular	Bancos	Fabricação de carros
Até 800 reais	70	70	69	46	34	61	26
Acima de 801 reais	67	55	59	38	21	36	14

O fato é que, apesar das variações, os resultados são consistentes. Sistematicamente mais favoráveis à ação econômica governamental, os pobres também se associam menos para defender seus próprios interesses e acabam achando que esse papel cabe ao governo, por meio de sua ação econômica.

Na comparação dos setores da economia citados, a maior diferença entre pobres e não-pobres é justamente no setor dos bancos. Ou seja, o apoio social à manutenção da atividade bancária nas mãos do governo é muito forte e enraizado. Não é por acaso que isso ocorre exatamente na atividade que lucra com o dinheiro e não com a produção de bens. Há uma coincidência entre maior ação do governo e preconceito em relação ao dinheiro.

Por tudo isso, a privatização do Banco do Brasil está bastante blindada junto ao "povão". Para isso contam também a força e o poder das agências do banco, espalhadas pelas áreas mais remotas e menos desenvolvidas do país, o que contrasta com a dificuldade de se encontrar na cidade de São Paulo, a mais rica e desenvolvida do país, caixas automáticos de nosso banco estatal comercial mais importante.

Como a pobreza está mais presente no Nordeste, os nordestinos são também mais estatizantes do que os habitantes das demais regiões do país. Para quase todas as áreas da economia, é no Nordeste que a população mais apóia o controle estatal. Para os 14 segmentos propostos no questionário, uma média de 62% da população adulta daquela região defende que o Estado controle a administração de diversos deles. Essa proporção é quase 10 pontos percentuais menor na região menos estatizante do país, o Centro-Oeste. Essa característica do Centro-Oeste explica, ao menos parcialmente, por que, apesar de o PT ter eleito um governador no Mato Grosso do Sul, é justamente nos estados daquela região que Lula tem sistematicamente tido votações relativamente menores do que seus adversários nas eleições presidenciais.

Tabela 3

Proporção dos que acham que o governo deve controlar as empresas de determinados setores (por regiões do Brasil)

	Educação	Saúde	Aposentadoria e previdência social	Justiça	Transporte	Estradas e rodovias	Fornecimento de água
Norte	72	76	78	78	46	63	60
Centro-Oeste	60	60	72	73	37	63	65
Nordeste	73	73	76	79	44	71	71
Sudeste	68	72	70	83	43	65	68
Sul	69	71	71	78	38	72	64

	Serviço de esgoto	Recolhimento de lixo	Energia elétrica	Telefone fixo	Telefone celular	Bancos	Fabricação de carros
Norte	62	66	60	40	29	56	26
Centro-Oeste	68	65	64	45	21	49	16
Nordeste	73	70	66	48	34	60	24
Sudeste	67	63	63	39	27	46	22
Sul	66	61	68	41	29	48	20

Média

Norte	58
Centro-Oeste	54
Nordeste	62
Sudeste	57
Sul	57

Embora a pobreza no Brasil tenha uma clara segmentação regional, ela também se encontra democraticamente espalhada: entre os habitantes das capitais e os que residem nas demais cidades, entre homens e mulheres, entre jovens e idosos e entre os que fazem parte da população economicamente ativa (PEA) e os que estão fora dela. Talvez por isso o apoio à presença do Estado na economia seja tão semelhante em todos esses grupos. De fato, homens e mulheres, jovens e velhos, PEA e não-PEA, todos apóiam de maneira praticamente idêntica o controle estatal da economia.

A grande segmentação que divide o país são a renda e a escolaridade. Como os mais pobres são também os menos escolarizados, são eles que mais desejam a interferência do Estado. As diferenças entre os sem instrução formal – analfabetos – e os que completaram o nível superior são chocantes.

Divididos por nível de escolaridade, praticamente 1/3 dos adultos sem instrução é de opinião que os carros devem ser fabricados por empresas estatais, percentual que desce para apenas 7% entre os que cursaram o nível superior. O Banco do Brasil fica mais uma vez protegido pela baixa escolaridade. É nesse grupo social que 77% acham que os bancos devem ser estatais, opinião compartilhada por somente 23% dos que têm curso superior.

Tabela 4

Proporção dos que acham que o governo deve controlar as empresas de determinados setores (por nível de escolaridade)

	Educação	Saúde	Aposentadoria e previdência social	Justiça	Transporte	Estradas e rodovias	Fornecimento de água
Analfabeto	74	76	81	80	55	71	76
Até a 4ª série	74	78	81	82	52	78	69
Da 5ª à 8ª série	72	72	72	77	38	71	68
Ensino médio	67	67	68	78	39	63	65
Superior ou mais	57	63	60	89	30	51	65

	Serviço de esgoto	Recolhimento de lixo	Energia elétrica	Telefone fixo	Telefone celular	Bancos	Fabricação de carros
Analfabeto	76	78	75	56	54	77	36
Até a 4ª série	70	73	71	52	41	67	33
Da 5ª à 8ª série	69	66	64	42	28	54	21
Ensino médio	65	57	61	38	21	40	16
Superior ou mais	69	57	55	26	15	23	7

Média

Analfabeto	69
Até a 4ª série	66
Da 5ª à 8ª série	58
Ensino médio	53
Superior ou mais	48

Os dados são muito claros. Embora a aprovação ao estatismo brasileiro seja forte em todos os níveis de escolaridade, ela diminui à medida que a educação formal aumenta. O proselitismo a favor da privatização encontra maior apoio social entre os de renda e escolaridade mais elevadas. Não por acaso, os mapas de votação dos tucanos paulistas mostram a grande força do PSDB na região oeste da cidade de São Paulo. O mesmo fenômeno explica por que é tão difícil encontrar liberais no PFL nordestino. Como é possível ser verdadeiramente liberal se a base eleitoral é fortemente estatista? A elite política vem do povo e o representa, para o bem ou para o mal.

Depois de analisado o perfil antiliberal da população adulta brasileira, o que surpreende não é a ausência de liberalismo no PFL, mas sim que nos anos 1990 o país tenha passado por um abrangente programa de privatização. Como isso pôde ter acontecido? As privatizações só foram possíveis porque o governo Fernando Henrique contava com um enorme apoio social baseado na estabilidade monetária e no aumento do consumo. O consumo na política é diferente do consumo na economia. Quando se vota (o equivalente do dinheiro no mercado), está se escolhendo um pacote completo. O político ou partido eleito aplica um programa de governo que pode conter coisas com as quais o eleitor concorda e outras das quais ele discorda.

Na economia não há compra de pacotes. O alimento pode ser de um tipo e a bebida de outro. Tudo é fragmentado. Na política, os eleitores estatistas ficaram com Fernando Henrique porque ele tinha levado o Brasil à estabilidade monetária, ampliando significativamente o poder de compra dos mais pobres. Diante desse quadro, o eleitor deu carta-branca para que o governo atuasse em outras áreas, inclusive a das privatizações. Essa é a lição número um do maquiavelismo político aplicado à opinião pública: se quiser fazer algo que contrarie o pensamento dominante ou algum valor social básico, primeiro encontre apoio em algo que o eleitorado valorize muito.

O brasileiro considera o Estado mais ineficiente do que a iniciativa privada

Na média, a população adulta brasileira quer mais Estado e menos iniciativa privada. Paradoxalmente, essa mesma população avalia, na média, pior as instituições públicas do que as privadas. Mais do que isso, confia mais nelas do que no setor público.

Na avaliação de desempenho de 13 instituições* diversas, as quatro que se saíram melhor são todas elas privadas: Igreja católica (com 84% de aprovação – soma do ótimo com o bom), pequenas e médias empresas (83% de avaliação positiva), imprensa (80%) e grandes empresas (69%). Pode-se afirmar que cerca de 70% ou mais da população brasileira vêem todas as quatro de forma positiva.

*As 13 instituições são: Igreja católica, pequenas e médias empresas, imprensa, grandes empresas, Polícia Federal, militares, Polícia Militar, Ministério Público, Polícia Civil, partidos políticos, Congresso, Justiça e governo federal.

Tabela 5

Avaliação das instituições

	Igreja católica	Imprensa	Polícia Militar	Governo Federal	Justiça	Grandes empresas	Partidos políticos
Péssima	5	5	11	17	20	7	33
Ruim	8	12	22	25	29	18	33
Regular para ruim	1	1	2	3	4	2	3
Regular para boa	2	3	4	4	3	4	3
Boa	55	59	49	40	34	55	22
Ótima	29	21	13	11	9	14	6
Avaliação positiva	84	80	61	51	44	69	28

	Congresso	Polícia Civil	Ministério Público	Militares	Pequenas e médias empresas	Polícia Federal
Péssima	24	15	10	11	4	9
Ruim	34	23	22	17	8	17
Regular para ruim	3	2	2	2	1	2
Regular para boa	4	5	4	4	4	4
Boa	28	45	50	54	63	53
Ótima	7	11	11	12	20	15
Avaliação positiva	36	56	61	66	83	68

No extremo oposto, o da avaliação negativa, destacam-se três instituições públicas e uma instituição de direito privado com finalidade pública. Os partidos políticos têm a menor avaliação positiva – apenas 28% dos brasileiros consideram que eles têm desempenho ótimo ou bom. Em seguida estão o Congresso (36% de avaliação positiva), a Justiça (44%) e o governo federal (51%). A faixa de variação do julgamento positivo dessas instituições vai aproximadamente de um mínimo de 25% a um máximo de 51%. Outras cinco instituições têm avaliação positiva intermediária: Polícia Federal, militares, Polícia Militar, Ministério Público e Polícia Civil. Todas elas associadas à manutenção da ordem pública e, no caso dos militares, à defesa nacional.

O brasileiro confia mais nas instituições privadas do que nas públicas

Não bastasse a enorme diferença entre a avaliação de instituições públicas e particulares, a confiança também varia muito e é maior quando se trata da iniciativa privada. Nada menos que 60% da população brasileira confiam (soma de "confia" com "confia muito") na Igreja católica, mas esse percentual cai para 46% quando se trata das pequenas e médias empresas. A Polícia Federal merece o voto de confiança de 41% dos adultos brasileiros, enquanto o Ministério Público tem somente 30%.

É interessante notar que as quatro instituições mais bem avaliadas são todas privadas. Porém, essa avaliação se divide quando se trata de confiança: dentre as quatro mais confiáveis há duas públicas e duas privadas. A Igreja católica e as pequenas e médias empresas estão entre as instituições mais bem avaliadas e confiáveis.

A falta de confiança é exclusividade de instituições públicas, com exceção dos partidos políticos que são públicos em sua finalidade. As quatro menos confiáveis são os partidos (6%), o Congresso (14%), a Polícia Civil (23%) e a Polícia Militar (25%). Partidos e Congresso – justamente duas das instituições encarregadas de gerir o Estado tão amado pela população – são os piores tanto no que diz respeito à avaliação quanto no que se refere à confiança.

Tabela 6

Confiança nas instituições

	Igreja católica	Imprensa	Polícia Militar	Governo Federal	Justiça	Grandes empresas	Partidos políticos
Não confia	14	20	22	22	21	17	56
Confia pouco	27	52	53	52	50	55	37
Confia	29	20	18	18	20	23	4
Confia muito	31	8	7	8	9	6	2
Confiança	60	28	25	26	28	28	6

	Congresso	Polícia Civil	Ministério Público	Militares	Pequenas e médias empresas	Polícia Federal
Não confia	40	26	18	20	7	15
Confia pouco	46	51	52	51	47	44
Confia	11	18	21	23	36	29
Confia muito	3	6	9	7	10	12
Confiança	14	23	30	29	46	41

No grupo de confiança intermediária encontram-se o governo federal (26%), a Justiça (28%), as grandes empresas (28%), a imprensa (28%) e os militares (29%). A imprensa e as grandes empresas se destacam na avaliação de desempenho, mas caem na confiança.

Apesar da dança das cadeiras entre avaliação e confiabilidade, nota-se que as instituições particulares gozam de melhores indicadores do que as públicas.

Especialmente quando se comparam as pequenas e médias empresas com os partidos e o Congresso. Sistema judiciário, polícia e Justiça também recebem avaliação negativa e são considerados pouco confiáveis na visão da população brasileira. Ainda assim o brasileiro é estatista. Seria isso um fenômeno coletivo de esquizofrenia?

Pessoalidade ineficiente *versus* impessoalidade bem avaliada

Na avaliação de instituições quanto ao desempenho e à confiabilidade, as privadas venceram com facilidade as públicas. Todavia, quando se trata de controlar diferentes setores da economia, o brasileiro prefere o Estado à iniciativa privada. O mais interessante é que a avaliação do desempenho das instituições não influencia, ou afeta muito pouco, o desejo de que um determinado setor esteja sob controle estatal.

Um exemplo é a área de fornecimento de energia elétrica. Como pode ser visto na Tabela 6, a avaliação das grandes empresas pouco afeta, quando o faz, o desejo de boa parte da população de que o setor fique sob a responsabilidade do Estado. Mesmo entre os que consideram o desempenho das grandes empresas ótimo, 70% defendem que o governo seja o provedor do serviço. Respeitada a variação da margem de erro de uma pesquisa, trata-se do mesmo percentual dos que consideram o desempenho das grandes empresas péssimo (68%). Seja a avaliação "ruim" ou "boa", o percentual cravado é o mesmo!

Tabela 7

Avaliação de desempenho e estatismo

	Energia elétrica		
Grandes empresas (avaliação)	Governo	Governo e empresas particulares	Empresas particulares
Péssima	68	14	18
Ruim	63	8	29
Regular para ruim	51	37	12
Regular para bom	57	12	31
Boa	63	10	26
Ótima	70	8	22

Se existisse correlação entre avaliação e estatismo, o resultado seria o oposto. Ou seja, o percentual dos defensores do Estado no controle do setor energético só aumentaria na medida em que piorasse a avaliação de desempenho das grandes empresas. O que leva a concluir: "Nós, brasileiros, queremos o Estado, independentemente de seu desempenho ou do desempenho da iniciativa privada."

Cruzando os percentuais de todas as instituições avaliadas, em todos os setores da economia, tanto em relação ao desempenho quanto à confiabilidade, chegamos a um total de 364 cruzamentos. Ou seja, o equivalente a duas vezes 13 (instituições) por 14 (setores econômicos). A Tabela 7 mostra apenas um desses cruzamentos. Na média, houve pouca influência da confiabilidade e do desempenho sobre o estatismo.

Não há esquizofrenia. O que há no Brasil é uma forte ideologia pró-estatal, uma cultura que diante da escolha entre Estado e iniciativa privada no fornecimento de serviços dá preferência ao primeiro. No carnaval carioca de 2003, por exemplo, a escola da samba Beija-Flor sagrou-se campeã com um enredo em que apresentava o boneco do presidente Lula, então recém-eleito, em seu último carro alegórico. Encerrava o desfile fazendo a apologia de um líder, de um presidente, do Estado.

No Brasil, o Estado é a fonte de todos os males, mas também das soluções. Quando o esporte olímpico fracassa, invoca-se a falta de patrocínio público como uma das causas mais importantes. Quando a percepção da violência ou da criminalidade aumenta, o Estado é o grande responsável. Mas o mesmo pai que falha ao cuidar dos filhos traz a solução de seus problemas. Para os mais pobres e de baixa escolaridade, o Estado é a grande esperança. Esperança de obter um documento ou de conseguir um emprego estável que possibilite elevar as condições de vida. Esperança de um prefeito que, se eleito, pavimente a rua ou melhore o serviço de atendimento médico de sua região.

Não se crê que as soluções para os principais problemas, ou pelo menos para alguns deles, venham da sociedade ou do mercado. Ainda que as empresas sejam mais bem-vistas do que as instituições públicas, não será delas que os menos escolarizados conseguirão obter oportunidades de melhorar de vida.

A Petrobras e o Banco do Brasil são os dois grandes símbolos do Brasil estatal. Privatizá-los é o mesmo que tirar a esperança do Brasil grande, do Brasil desenvolvido. Transformar o Banco do Brasil em uma instituição particular é jogar todos os pequenos poupadores nas garras impessoais da iniciativa privada. Argumento freqüente daqueles que fazem previdência privada no Banco do Brasil é que, ao contrário das instituições particulares, é o único a oferecer de fato segurança ao poupador. Empresas quebram, já o governo...

A Petrobras é sinônimo de patrimônio nacional. É o coração da economia brasileira, já fornece o combustível e a energia que movem grande parte de nossa produção. Privatizá-la, na opinião de muitos, seria entregar a economia nas mãos de investidores estrangeiros. Nada pior e mais arriscado para o país.

É a ideologia estatista que sustenta todos esses argumentos. Nada mais difícil para um estatista do que imaginar que o bem-estar, tanto individual quanto da sociedade, depende do investimento privado. Nada mais penoso do que pensar que a sociedade se desenvolverá à medida que as relações se tornarem mais impessoais e as pessoas forem avaliadas em função de seu mérito e de sua capacidade. Nesse caso, os bancos particulares seriam tão seguros para a poupança quanto a economia de um país e a competência de sua administração.

A produção privada de energia, seja petrolífera ou não, seria mais eficiente e os custos finais para o consumidor acabariam sendo menores, ainda que o custo fosse o risco de falência da empresa. Esse é o mundo do mercado e da impessoalidade. Esse é o reino das bem-avaliadas pequenas e médias empresas e das grandes empresas.

Para quem deseja menos Estado, resta apenas o consolo de que esse é o destino da opinião pública no Brasil. É um processo longo, porém inexorável: também nesse aspecto, à medida que a escolaridade aumentar, o apoio social à presença do Estado na economia tenderá a tornar-se cada vez menor.

capítulo 8

Mais Estado, menos mercado, e viva a censura!

capítulo 8

Primeira página dos principais jornais brasileiros: "A Varig quebra e o governo não socorre." Surpreendente? Não, se lembrarmos que a Pan Am foi à falência e não contou com a ajuda do governo norte-americano para se reerguer. Sim, se imaginarmos o *day after* da bancarrota: protestos de funcionários da Varig, reações no Congresso, oportunismo da oposição – incluindo supostos liberais –, afirmando que o governo estaria insensível ao desemprego e à crise social, e um sem-número de pessoas que invocariam o argumento afetivo da Varig como símbolo da aviação nacional. Seria, sim, surpreendente a Varig quebrar sem que o governo a socorresse. Um desfecho que não conta com o apoio do povo brasileiro.

Socorro para companhias aéreas

Governo corta impostos para reduzir os custos das empresas em até R$ 1 bilhão

O ministro do Desenvolvimento, Indústria e Comércio Exterior, Sérgio Amaral, anunciou ontem um pacote de ajuda do governo ao setor aéreo, o que deverá permitir redução de custos para as companhias entre R$ 800 e 1 bilhão. Foram tomadas sete medidas, que vão do perdão de dívidas à redução de impostos e de custos de operação de seguros, além da garantia de igualdade de condições entre empresas brasileiras e estrangeiras no recolhimento de contribuições como o PIS e a Cofins.

O governo perdoou as dívidas referentes ao PIS/Cofins de 1988 a 1999, questionadas na Justiça pelas companhias. Segundo Amaral, a medida vai reduzir o passivo das empresas entre R$ 400 milhões e R$ 600 milhões.

Para o ministro, a Varig deverá ser a principal beneficiada, uma vez que a empresa está negociando um empréstimo com o BNDES e a redução de seu passivo deve contribuir para acelerar o processo. (*O Globo*, 5/9/2002)

Um jornalista do *New York Times* faz reportagem sobre o presidente Lula, afirmando que o hábito de beber prejudicaria suas funções. O governo reage tentando expulsar o jornalista do Brasil. Surpreendente? Sim, se invocarmos o princípio constitucional da liberdade de imprensa, consagrado em 1988, na Constituição cidadã de Ulisses Guimarães. Nada surpreendente, porém, se analisarmos o que pensa o brasileiro médio sobre a censura: ele a apóia.

Nada menos do que 83% dos brasileiros acham que o governo deve socorrer as empresas em dificuldade (Tabela 1) e 31% (Tabela 2) acham que deve haver censura para programas de TV que fazem críticas ao governo. Afirmar que o presidente da República consome álcool em excesso não é uma crítica ao governo, é mais grave, é menos corriqueiro, menos comum. Na época em que o jornalista Larry Rother publicou sua matéria no *NYT* e o governo reagiu, houve uma avalanche de cartas aos principais jornais brasileiros defendendo a decisão do Palácio do Planalto. Eram as pessoas comuns expressando um ponto de vista favorável à censura. A reação oposta, forte, veio de uma pequena elite esclarecida e, em grande medida, de jornalistas.

Tabela 1

Empresas falimentares, venha a nós o reino do Estado

O governo deve socorrer as empresas em dificuldades	
Discorda muito	12
Discorda um pouco	5
Concorda um pouco	20
Concorda muito	63

Tabela 2

Apoio à censura, por pouca coisa

Opinião sobre proibição de programa de TV que faz críticas ao governo	
Discorda muito	47
Discorda um pouco	18
Nem concorda nem discorda	3
Concorda um pouco	11
Concorda muito	20

No Brasil, a escolaridade mais uma vez leva a diferenças de mentalidade. Entre os indivíduos sem instrução formal, 56% apóiam a censura de críticas ao governo; para os que completaram até a 4ª série do ensino fundamental, esse percentual cai, mas continua elevado: 45%. Do outro lado da moeda, estão os jornalistas e os que tiveram a rara oportunidade de obter um diploma universitário. Nesse grupo, apenas 8% são favoráveis à censura. Não surpreendem, portanto, a tentativa de expulsão do jornalista norte-americano e o fato de o governo ter insistido em manter a decisão inicial. Havia quem apoiasse essa decisão, embora esse grupo não influenciasse nem controlasse os meios de comunicação.

Tabela 3

Quanto mais baixa a escolaridade, mais favorável à censura

	Opinião sobre proibição de programa de TV que faz críticas ao governo				
	Discorda muito	Discorda um pouco	Nem concorda nem discorda	Concorda um pouco	Concorda muito
Sem instrução	32	11	2	10	46
Até a 4ª série	40	13	1	14	31
Da 5ª à 8ª série	45	23	0	14	19
Ensino médio	57	22	1	10	9
Superior ou mais	72	19	1	1	7

O apoio à censura é bem menos consensual do que a defesa do uso de recursos públicos para o socorro a empresas em dificuldades. Mais uma vez a escolaridade é determinante na aprovação desse socorro. Há, todavia, uma diferença importante quando se compara essa situação com a da censura. Como já observamos em outras circunstâncias, para cada degrau que se avança na educação formal, cai bastante a defesa da censura. Mas não é o que acontece com o socorro econômico estatal.

As três faixas mais baixas de escolaridade, que abrangem desde aqueles que não obtiveram grau algum até os que completaram o ensino fundamental, apóiam, quase na mesma proporção, a ajuda governamental a empresas em dificuldades. Esse apoio só se reduz quando se passa para o ensino médio completo e para o nível superior. Ainda assim, nada menos do que 63% das pessoas com curso superior defendem o socorro do Estado às empresas. Boa notícia para as empresas falimentares.

Tabela 4

Quanto mais baixa a escolaridade, mais favorável ao socorro às empresas falimentares

	O governo deve socorrer as empresas em dificuldades			
	Discorda muito	Discorda um pouco	Concorda um pouco	Concorda muito
Analfabeto	7	3	14	76
Até a 4ª série	7	4	12	77
Da 5ª à 8ª série	8	6	15	71
Ensino médio	15	6	24	55
Superior ou mais	28	9	37	27

O brasileiro é antiliberal. Não apenas quanto ao socorro a empresas, mas em relação a muitos aspectos da vida econômica. Um percentual bastante elevado, 85%, acha que o governo deve controlar o preço de todos os serviços básicos; 70% consideram que ele deve manter o controle de preço de todos os produtos vendidos no Brasil – a volta da velha SUNAB; e pouco mais da metade considera que o controle governamental deve se estender aos níveis salariais e a aspectos mínimos da vida empresarial, como o número de banheiros de uma firma.* O desejo da população brasileira é ver o Estado regulando toda a atividade econômica.

*Há no Brasil uma lei definindo o número mínimo de funcionários que torna uma empresa obrigada a ter banheiro feminino e masculino.

Tabela 5

O antiliberalismo do brasileiro

	O governo deve controlar o preço de todos os serviços básicos, como o transporte	O governo deve dizer tudo o que as empresas têm que fazer, como quantos banheiros elas têm que ter	Só as empresas, e nunca o governo, devem treinar a mão-de-obra e os trabalhadores	O governo deve definir qual o valor dos salários de todos os funcionários de todas as empresas do país	Só as empresas, e nunca o governo, devem escolher onde construir uma nova fábrica	O governo deve controlar os preços de todos os produtos vendidos no Brasil
Discorda muito	7	31	26	30	29	18
Discorda um pouco	8	16	21	15	25	12
Concorda um pouco	28	20	19	14	18	16
Concorda muito	57	32	34	40	28	54

Haveria duas maneiras de se promover uma política econômica liberal: a endógena e a exógena. Na endógena, os governantes responderiam aos anseios da população reduzindo sua interferência sobre o mercado. Na exógena, imposições externas, como alguns imperativos da globalização, a exaustão de determinadas políticas de combate à inflação e outros equivalentes imporiam a adoção de uma política econômica liberal. Na primeira modalidade, o liberalismo é adotado por bem, com o consentimento da população. Na segunda, ele é aceito no "vai ou racha": ou nos tornamos mais liberais ou não se consegue controlar de maneira permanente a inflação.

O antiliberalismo é muito forte e enraizado na população. O controle de preços de serviços básicos tem, por exemplo, grande apoio entre todos os grupos sociais. A soma dos percentuais "concorda pouco" e "concorda muito" é praticamente idêntica em todos os segmentos: seja na comparação entre as grandes regiões do Brasil, nos grupos de escolaridade alta ou baixa, entre jovens e velhos, homens e mulheres, habitantes das capitais e das demais cidades, população economicamente ativa ou fora do mercado de trabalho.

Isso revela que as diferenças entre os grupos não é de preferência, mas de intensidade. Isto é, todos preferem que o Estado regule a economia, porém os mais escolarizados defendem com menos entusiasmo esse ponto de vista. O mesmo padrão de variação se aplica às demais situações apresentadas na Tabela 5.

Como em capítulos anteriores, esse cenário se acentua quando analisamos os dados da Tabela 6, que reforça o perfil já observado: os nordestinos querem maior controle estatal, e o mesmo pode ser dito para os que moram fora das capitais, os que não pertencem à população economicamente ativa, os mais velhos e os menos escolarizados (vejam-se os números em negrito na Tabela 6). A variação entre as faixas de idade e de escolaridade é quase idêntica. Pouco menos da metade dos que têm entre 18 e 24 anos (45%) querem muito o controle estatal. O mesmo percentual de apoio à presença do Estado na economia é encontrado entre os que têm nível superior completo. Na faixa de idade mais velha, esse percentual sobe para 64%, e é de 66% para os de escolaridade mais baixa.

Tabela 6

O antiliberalismo aplicado ao controle de preços

	O governo deve controlar os preços de todos os serviços básicos, como transporte, por exemplo			
	Discorda muito	Discorda um pouco	Concorda um pouco	Concorda muito
Norte	6	8	28	57
Centro-Oeste	6	10	24	60
Nordeste	5	7	26	**62**
Sudeste	8	8	29	55
Sul	7	9	31	53
Não-capital	6	8	27	**59**
Capital	8	8	31	52
Não-PEA	6	7	26	**60**
PEA	7	8	29	56
18 a 24 anos	8	8	40	45
25 a 34 anos	7	8	28	56
35 a 44 anos	6	10	27	57
45 a 59 anos	6	7	22	**64**
60 anos ou mais	6	4	25	**64**
Masculino	8	7	27	58
Feminino	6	9	29	56
Analfabeto	5	6	21	**66**
Até a 4ª série	5	5	22	**68**
Da 5ª à 8ª série	7	7	27	58
Ensino médio	7	11	32	50
Superior ou mais	10	7	38	45

Se considerarmos o que pensa parte importante da população do país, percebemos que ela está em desacordo com o que diz a Constituição brasileira. Os princípios constitucionais de liberdade de expressão e de livre-iniciativa não seduzem o brasileiro. A liberdade de expressão conta com o apoio da maioria, mas pelo menos 1/3 é contrário a ela. O que indica que sua legitimidade é bastante limitada, situação que piora bastante se, para se manifestar, ela impuser alguns prejuízos – ainda que pequenos e passageiros – à população. É o caso das greves contra o governo, forma de expressão que encontra oposição de aproximadamente 44% da população e o apoio de 55%.

Tabela 7

Um país dividido no apoio às greves

Greves contra o governo	
Sempre permitidas	25
Permitidas na maioria das vezes	30
Proibidas na maioria das vezes	16
Sempre proibidas	28

Trata-se de um país claramente dividido. E dividido pela escolaridade: quanto mais alta maior o apoio às greves como manifestação de protesto contra o governo. Enquanto 50% das pessoas sem escolaridade formal acham que as greves devem ser sempre proibidas, a proporção é de apenas 6% para os que completaram o nível superior. Como em outras situações vistas anteriormente, o percentual cai gradativamente para cada degrau que se sobe na educação formal.

Tabela **8**

Aumente-se a escolaridade da população e as greves terão maior apoio

	Greves contra o governo			
	Sempre permitidas	Permitidas na maioria das vezes	Proibidas na maioria das vezes	Sempre proibidas
Analfabeto	28	8	14	50
Até a 4ª série	22	17	14	47
Da 5ª à 8ª série	24	29	21	26
Ensino médio	26	38	20	17
Superior ou mais	32	55	8	6

O apoio à liberdade de expressão diminui ainda mais quando se trata de manifestações que além de causar algum prejuízo, mesmo que pequeno e passageiro, têm um valor simbólico na mídia que as aproxima do que se convencionou chamar de "baderna". É o caso do bloqueio de estradas. Quase ¾ da população brasileira (72%) acham que deve ser proibido e praticamente metade considera que a proibição deve se aplicar a qualquer outra situação semelhante. O argumento da liberdade de expressão ainda causa estranheza.

Tabela 9

Um país unido contra o bloqueio de estradas

	Bloqueio de estradas em protesto contra o governo
Sempre permitido	12
Permitido na maioria das vezes	15
Proibido na maioria das vezes	24
Sempre proibido	48

Qual é o problema em fazer greves ou bloquear estradas para protestar contra alguma medida governamental? Nos dois casos, são manifestações premidas pela urgência, que não podem ser duradouras. Adicionalmente, as chances de que alguma delas cause um dano irreparável a alguém são muito pequenas. É possível que a probabilidade de ser atingido por um raio, e o dano causado por isso, em uma das inúmeras chuvas tropicais que caem sobre o país seja maior do que alguém precisar ficar esperando em uma estrada bloqueada por manifestantes.

Ainda que isso ocorra, quando se vê a liberdade de expressão como um valor supremo (não precisa nem ser tão supremo), estar preso por uma ou duas horas num bloqueio de estrada ou não ter atendimento numa repartição pública em greve pode levar o prejudicado a raciocinar da seguinte forma: "Vale a pena esperar em nome de um direito fundamental: o de protestar. Até porque eu, o prejudicado por essa manifestação, posso precisar algum dia fazer o mesmo para expressar minha opinião contrária a alguma decisão governamental."

O mesmo vale para o caso do jornalista do *NYT*. Em situações como essa, o que seria melhor: aceitar matérias sobre supostos desvios do presidente, ainda que elas possam incorrer em erros, ou reprimir com dureza esse tipo de jornalismo? Se a expulsão do jornalista Larry Rother tivesse sido consumada, o governo estaria sinalizando claramente que reportagens daquele tipo seriam punidas com rigor. A liberdade de expressão faz com que o debate aperfeiçoe a conduta das partes em disputa. Mas, para isso, temos que estar dispostos a aceitar reportagens de mau gosto ou eventualmente imprecisas. Certa ou não do ponto de vista factual, a situação com o *NYT* pode ter contribuído para que o presidente corrigisse determinados comportamentos. Caso isso tenha acontecido, todos ganharam, inclusive – e principalmente – o próprio presidente.

O fato é que a população brasileira ainda está longe de pensar de forma mais elaborada acerca de temas como liberdade de expressão ou controle da economia. Essas duas coisas estão relacionadas. Em geral, quem quer mais regulação econômica quer também mais censura. E se a legitimidade de nossa Constituição é pequena quanto à liberdade de expressão, pior ainda no que diz respeito à liberdade para agir no âmbito econômico. A população brasileira ainda prefere o Estado regulando a economia, produzindo bens e provendo serviços (como vimos no Capítulo 7). Diante da pergunta sobre o que é melhor, um Estado forte para atacar e resolver os problemas da população ou um Estado fraco que permita que a sociedade, os indivíduos e as empresas resolvam seus problemas, certamente o brasileiro médio ficaria com a primeira alternativa.

O que nos leva ao outro lado da moeda: a pouca disposição para exercer os próprios direitos, como o de protestar contra o governo, inclusive parando a produção. Como uma parte importante da população não está disposta a isso, não se encontra apoio na defesa desse direito. Além disso, não se concebe que outras pessoas possam precisar fazer greves ou bloquear estradas para alcançar seus objetivos. Em suma, mais Estado regulador dos direitos civis (liberdade de expressão é um deles) ou da economia é apenas um dos lados da moeda. O outro é não poder exercer plenamente seus direitos.

A escolaridade superior como divisor de águas

Como analisado em capítulos anteriores, os dados mostram que há dois países claramente divididos. Um é arcaico e ultrapassado, e defende pontos de vista abandonados pelas populações dos países desenvolvidos. Se o Brasil quiser mostrar-se como uma nação realmente desenvolvida, terá que varrer do mapa esse modo de pensar. O outro país é moderno e atualizado, quer mais limites para as ações do Estado, quaisquer que sejam elas, não acredita que expulsar um jornalista do *NYT* ou socorrer empresas falimentares ajude a resolver nossos problemas internos. Sabe que, pelo contrário, só atrapalha. Acredita, ao menos em parte, que a sociedade pode encontrar as soluções e que, para isso, o Estado não deve intervir.

Os dois países – o arcaico e o moderno – convivem. O que os separa é a escolaridade superior. Já se demonstrou por inúmeros estudos que o nível superior é crucial para explicar a desigualdade de renda no Brasil. Como a oferta de mão-de-obra qualificada (com superior completo) é pequena, esses indivíduos são mais bem pagos; o contrário do que ocorre com os trabalhadores sem qualificação. Em número excessivo, o poder de barganha dessa massa acaba sendo pequeno e, por isso, os salários tendem a ser baixos. O principal emblema dessa posição no mercado de trabalho são as mulheres que trabalham como empregadas domésticas.

Mas a desigualdade educacional não gera apenas desigualdade de renda. Como provado aqui pela primeira vez, ela cria também uma enorme diferença de mentalidades. Entre nós, a forma como se vê o mundo, se pelas lentes liberais ou pelas intervencionistas, está fortemente condicionada pelo nível de educação. Aqui, o liberalismo não é a cultura dominante; pelo contrário, só entra na cabeça das pessoas depois que elas passam pelos bancos universitários.

Diferente de nós, e sem precisar do ensino superior para isso, Inglaterra e Estados Unidos moldaram a mentalidade de suas populações por meio da religião. A religião protestante dos países anglo-saxões é democrática, ou ao menos o foi no período em que as culturas nacionais européias foram formadas: ricos e pobres, todos freqüentavam as igrejas. Foi no interior das igrejas protestantes que ingleses e norte-americanos passaram a acreditar que um Estado mais fraco era melhor do que um Estado mais forte.

No catolicismo latino que moldou a mentalidade de portugueses e brasileiros, o Estado sempre teve um papel crucial, assim como a concepção mais ampla de que o mundo é organizado de forma hierárquica, com superiores e inferiores, e que aos superiores caberá, entre outras coisas, resolver os problemas dos inferiores. O padre absolve o pecador. Somente o padre está investido desse poder. O Estado resolve os problemas da sociedade; somente ele tem recursos para isso.

Para mudar essa mentalidade hierárquica e pró-estatal é preciso escolarizar a população. Ter o ensino médio completo ajuda muito, leva a mudanças importantes quando se compara os que estão um degrau abaixo na escolaridade formal. Contudo, transformações maiores ocorrem depois da passagem pelos cursos universitários. É aí que se percebe um grande aumento no percentual dos que querem menos Estado e, por isso, maior atuação da sociedade organizada. O fenômeno pouco tem a ver com as idéias às quais as pessoas são submetidas na universidade e mais com a posição que elas passam a ocupar no mercado de trabalho depois que conseguem ter o canudo de grau superior na mão.

Em um país desigual como o Brasil, um diploma superior dá a qualquer um maior poder de barganha no mercado de trabalho. É no decorrer do curso universitário que se passa a perceber que a melhora de vida, a ascensão social, a busca de um estágio melhor dependem muito do empenho individual, das notas nas disciplinas, da assiduidade nas aulas e de atitudes semelhantes. Além disso, o dia-a-dia na faculdade mostra também que pouco se precisa do Estado. O empenho de cada um e as oportunidades de empregos em empresas privadas serão fatores determinantes para o sucesso. Basta que o Estado assegure condições de crescimento econômico que as chances surgirão.

A desigualdade cumpre um papel importante nessa história. No Brasil, ter renda para colocar uma criança numa escola de qualidade – como os colégios jesuítas, por exemplo – é assegurar que, no futuro, ela terá um menor número de competidores – apenas os que tiveram acesso a educação semelhante. E se chegar a um curso superior (o que é um corolário), será como uma carta de alforria, que a afastará da competição ferrenha por postos de trabalho menos qualificados, empregos de baixa remuneração.

Em países igualitários a lógica é diferente. Em primeiro lugar, a disparidade de renda e de escolaridade é bem menor. Assim, o nível superior não assegura, necessariamente, tamanha vantagem nessa competição e nem mesmo renda mais elevada do que os que não cursaram universidade. Em segundo lugar, há um número bem maior de escolas de qualidade, públicas e particulares, preparando as pessoas para competir pelas mesmas posições bem remuneradas do mercado de trabalho.

No Brasil, no entanto, o enorme poder de barganha dos que atingiram o nível superior contribui para o florescimento da mentalidade liberal. Uma vez formados, são eles que não precisam do governo para ter acesso à saúde e à educação; não precisam do governo para melhorar sua posição em postos de trabalho. Precisam apenas de si mesmos. Assim, a mentalidade liberal nasce, entre nós, com um carimbo elitista. Alguém é liberal porque tem força, poder de barganha.

Na Inglaterra e nos Estados Unidos, ao contrário, a mentalidade liberal surge como resultado de algo democrático. Como a base de ambas as sociedades era igualitária, principalmente a norte-americana, ser liberal é apenas o resultado de pensar que o ponto de partida de todos os indivíduos é semelhante. Cabe ao Estado deixar que eles possam competir e melhorar de vida. Tanto quanto a trajetória pessoal, os problemas públicos também podem ser resolvidos pela associação dos indivíduos, pela sociedade. Nos Estados Unidos, a população como um todo prefere um Estado mais fraco.

No Brasil, a maioria da população, que tem escolaridade baixa, prefere um Estado mais forte. A mentalidade antiliberal é dominante. Mas, ao colocarmos uma lupa, observamos a divisão de mentalidade entre a escolaridade baixa e o nível superior. O canudo universitário dá poder e aqueles que o têm preferem um Estado mais fraco.

capítulo 9

O preconceito de cor ou racial no Brasil

capítulo 9

"A constelação
Das estrelas negras que reluz
Clementina de Jesus
Eleva o seu cantar feliz
A Ganga-Zumba
Que lutou e foi raiz
O negro que é arte, é cultura
desenvoltura deste meu país
Eh, Luana, o trono de França será seu, baiana

E o mundo inteiro gritou gol (é gol!)
Gol do grande Rei Pelé (bis)"

"A grande constelação das estrelas negras", de Neguinho da Beija-Flor e Nego

Há, no meio acadêmico, uma discussão recorrente sobre preconceito social, preconceito de cor e a relação entre eles, no Brasil. Para o antropólogo Thales de Azevedo,* isso poderia ser traduzido, na verdade, por "grupos de prestígio", formados pela correlação entre uma categorização de cor (brancos e pretos) e outra de *status* (ricos e pobres). O sociólogo Antônio Sérgio Guimarães complementa afirmando que "tais prestígios de posição são resguardados (...) por distâncias e etiquetas, que têm na *aparência* e na *cor* (...) suas principais referências e marcos no espaço social".** Com dados quantitativos, nossa pesquisa indica que a discussão acadêmica está bem colocada.

Alguns outros estudos, como o de Oracy Nogueira, por exemplo, mostram que, no Brasil, as pessoas se classificam a partir do fenótipo, ou seja, a partir da aparência física, e não da origem ou ascendência racial. Assim, o que se reproduz no país é um "preconceito de marca", calcado no aspecto físico de cada um. Seja como for, esse preconceito é grande e arraigado entre nós, podendo mesmo ser detectado em pesquisas quantitativas (*surveys*).*** É verdade que *surveys* anteriores não conseguiram revelar isso, de maneira sólida, por abordarem a questão com

*Ver Thales de Azevedo, *Cultura e situação racial no Brasil*, Rio de Janeiro, Civilização Brasileira, 1966.
**Ver Antônio Sérgio A. Guimarães, *Preconceito e discriminação: queixas de ofensas e tratamento desigual dos negros no Brasil*, Salvador, Novos Toques, 1998.
***Dos *surveys* realizados anteriormente no Brasil, o mais famoso teve os resultados publicados no livro *Racismo cordial*.

perguntas diretas, do tipo "O(a) senhor(a) tem preconceito racial?". Desse modo, entretanto, dificilmente se consegue que a sociedade brasileira responda abertamente sobre as formas com que expressa seu próprio racismo.

É SEMPRE NOTÍCIA NO BRASIL...

ESTUDANTES DA UFPR ACUSAM PROFESSOR DE RACISMO. Alunos do curso de Direito da Universidade Federal do Paraná (UFPR) protocolaram um pedido de questionamento de conduta e afastamento do professor Nilton Bussi, acusado de fazer comentários racistas em sala de aula. De acordo com os estudantes, ele teria afirmado ser a favor das cotas para negros, índios e "toda a macacada". A declaração foi considerada uma ofensa por grande parte dos alunos da turma, que fizeram um abaixo-assinado pedindo providências da direção do curso. – Portal de notícias Terra, 26/4/2006

DECISÃO INÉDITA DO STJ CLASSIFICA DISCRIMINAÇÃO E PRECONCEITO COMO RACISMO. O Superior Tribunal de Justiça julgou como prática racista a incitação ao preconceito ou à discriminação de raça e manteve a condenação do editor de livros Siegfried Ellwanger por editar e vender obras com mensagens antisemitas. No STJ, trata-se de uma interpretação inédita ao artigo 20 da Lei 7.716 – "praticar, induzir ou incitar, pelos meios de comunicação social ou por publicação de qualquer natureza, a discriminação ou preconceito de raça". Pela Constituição, o racismo é crime imprescritível e inafiançável.

CONDENADO PELO TRIBUNAL DE JUSTIÇA DO RIO GRANDE DO SUL a dois anos de reclusão, com *sursis* (suspensão condicional da pena) pelo prazo de quatro anos, o editor de livros entrou com *habeas corpus* no STJ para que fosse retirada da condenação a acusação de racismo. Assim, ele estaria em condições de requerer a extinção da pena. Ao réu foi imposta a pena de dois anos prevista no artigo 20 da Lei 7.716, com nova redação da Lei 8.081, pela "edição e venda de livros fazendo apologia de idéias preconceituosas e discriminatórias". – DireitoNet, 19/12/2001

VENDA DE YANOMÂMI: AUTÔNOMO É ACUSADO DE RACISMO. Um anúncio no jornal colocando à venda "filhotes de Yanomami" resultou em denúncia por crime de racismo. O procurador da República em Roraima, Carlos Fernando Mazzoco, denunciou à Justiça Paulo César Cavalcanti Lima, morador do bairro Paraviana, pela prática de racismo contra o povo Yanomâmi. – www.proyanomami.org.br, 29/8/2003

Professor acusado de racismo por universitário aceita acordo em processo. O professor de física da UEMS (Universidade Estadual de Mato Grosso do Sul) Adriano Manoel dos Santos, 31, aceitou um acordo com o Ministério Público Estadual no processo em que é acusado de "preconceito de raça ou de cor" pelo estudante negro Carlos Lopes dos Santos, 35. O aluno entrou na UEMS pelo sistema de cotas. Segundo o estudante, em junho de 2004, durante uma aula, o professor usou expressões racistas como um "sujeito de muita melanina (proteína de cor preta encontrada na pele)" e "pretinho básico", além de contar uma piada sobre o azar de um homem que entra no ônibus e, em vez de uma loira, quem se senta a seu lado é "um negão". – *Folha Online*, 1/6/2005

Presidente do Vitória acusado de racismo. O goleiro Felipe, do Vitória, acusou o presidente do clube, Paulo Carneiro, de tê-lo chamado de "negro safado", "preto vagabundo" e "vendido". As ofensas raciais teriam sido feitas depois do jogo de sábado, em que o time baiano empatou com a Portuguesa e acabou rebaixado para a Série C, a terceira divisão do Campeonato Brasileiro. – Milênio Provedor de Serviços de Internet

Ex-prefeito de Porto Alegre é acusado de racismo. O ex-prefeito de Porto Alegre, Raul Pont, que teve votação significativa na eleição para presidente nacional do Partido dos Trabalhadores, está sendo acusado de racismo contra o deputado federal Alceu Collares (PDT). Num intervalo do programa, em meio a uma discussão calorosa, Pont teria mandado o deputado Pompeu calar a boca e ir para o inferno junto com "aquele negro sujo, ladrão e sem vergonha, que comprou o parecer do Tribunal de Contas para liberar terrenos quando era prefeito", referindo-se a Collares, ex-prefeito e ex-governador do RS. – Portal Mundo Negro, 17/1/2002

Quatro são detidos por suspeita de racismo em SP. Quatro pessoas foram detidas, suspeitas de racismo e de intolerância religiosa, na tarde desta quinta-feira, no subsolo do prédio da Galeria do Rock, na rua 24 de Maio, no centro da cidade de São Paulo. No local, os policiais encontraram vídeos, livros, camisetas e apostilas que atacam negros e judeus. O material estava armazenado em duas lojas. Também foram apreendidos instrumentos de luta. – Portal de notícias Terra, 28/4/2006

Racismo na internet chega à justiça. Corre na Justiça de Brasília um dos primeiros processos contra racismo virtual do país. O estudante Marcelo Valle Silveira Mello, de 20 anos, foi denunciado pelo Ministério Público do Distrito Federal por ter postado mensagens ofensivas e agressivas aos negros no site de relacionamentos Orkut, em uma comunidade que debatia as cotas para negros nas universidades federais. Na comunidade, em três mensagens, o estudante chama os negros de "macacos burros", "subdesenvolvidos", "urubus" e "ladrões", entre outras coisas. Mello estuda Letras na Universidade de Brasília (UnB). – www.estadao.com.br, 1/2/2006

Na Pesquisa Social Brasileira,* optamos por recorrer a uma metodologia indireta, que nos permitiu identificar com clareza a discriminação. Usamos para isso a classificação do Instituto Brasileiro de Geografia e Estatística (IBGE), que divide a população brasileira entre brancos, pretos e pardos. Apresentamos, então, aos entrevistados um cartão com oito fotos de pessoas diferentes, formando uma escala de cores. Nos dois extremos, um branco e um preto, e entre eles seis fotos intermediárias.** No Quadro 1, as fotos são apresentadas na ordem do homem mais branco para o mais preto (classificadas a partir de um conjunto de

*Todas as pessoas fotografadas concederam autorização legal para a utilização de suas fotos em estudos acadêmicos sobre relações raciais. Na Pesquisa Social Brasileira, assim como em todo o texto, recorremos à terminologia do IBGE (preto, pardo e branco) para nos referirmos a cor e raça.

**Um estudo semelhante foi realizado por Marvin Harris em 1964. Utilizando um conjunto de nove retratos desenhados, ele procurou explorar a terminologia que poderia ser aplicada a determinado indivíduo. Ver Marvin Harris, *Padrões raciais nas Américas*, Rio de Janeiro, Civilização Brasileira, 1967, p. 92-94.

características físicas: textura do cabelo, cor dos olhos, cor da pele, grossura dos lábios e formato do nariz).*

A primeira pergunta feita aos entrevistados – seguindo a classificação do IBGE, e excetuando-se as categorias amarelo e índio – era sobre a cor de cada uma das pessoas das fotos. Isto é, os entrevistados classificaram todos os fotografados como preto, pardo ou branco. Em seguida, mostrando-se novamente o cartão com as oito fotos, foram feitas as seguintes perguntas, nesta ordem:

1. Gostaria que o(a) senhor(a) dissesse qual deles parece ter mais estudo.
2. Qual desses parece ser o que mais dá jeitinho?
3. Na sua opinião, qual dessas pessoas parece ser um advogado?
4. E qual parece ser um professor de escola de ensino médio?
5. E qual parece ser um motorista de táxi?
6. Qual dessas pessoas parece ser um porteiro?
7. E qual parece ser um lixeiro, varredor de rua?
8. Qual dessas pessoas parece ser um carregador?
9. E um engraxate?
10. Qual dessas pessoas parece ter menos chances, menos oportunidades na vida?
11. Qual delas parece ser a mais preguiçosa?
12. Qual delas parece ser um criminoso?
13. E qual parece ser o mais pobre?
14. E qual parece ser um malandro?
15. E qual parece ser a pessoa mais honesta?
16. E qual parece ter modos mais educados?
17. E qual parece ser mais inteligente?

Na etapa seguinte, perguntava-se qual dos oito fotografados parecia nordestino. Para essa pergunta, os entrevistados poderiam dar mais de uma resposta, ao passo que nas 17 anteriores apenas uma foto poderia ser escolhida.

---

*Ver Oracy Nogueira, *Tanto branco quanto preto: estudos de relações raciais*, São Paulo, T.A.Queiroz, 1985, p. 67-79.

Quadro 1

As oito fotos ordenadas do mais branco para o mais preto.

Foto 1

Foto 2

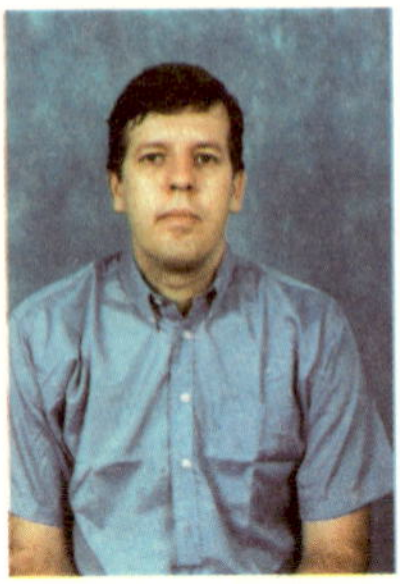

Foto 3

Foto 4

Foto 5

Foto 6

Foto 7

Foto 8

O resultado revelou que o preconceito de cor no Brasil é variado e atinge de maneira diferente os pardos, os pretos e os brancos considerados nordestinos. Adiante, veremos que isso tem implicações importantes para a política de cotas.

A cor das pessoas fotografadas

O primeiro resultado interessante de nossa pesquisa é a classificação das oito fotos segundo as três cores: preto, pardo e branco (Tabela 1). Os dados são apresentados ordenando-se as pessoas entre os dois extremos: a foto 1, no extremo branco, e a foto 8, no extremo preto.

Tabela 1

A cor das oito pessoas fotografadas

Número da foto	Branco	Pardo	Preto
1	96	4	0
2	87	11	1
3	86	13	1
4	25	73	2
5	5	86	9
6	4	88	8
7	1	3	96
8	1	3	96

Os resultados mostram que as fotos 1 e 2 estão no extremo branco e as fotos 7 e 8, no extremo preto. A pessoa da foto 1 é considerada mais branca do que a da foto 2: 96% *versus* 87%. Ela tem os olhos claros, ao passo que a da foto 2 tem olhos escuros. No outro extremo, as pessoas das fotos 7 e 8 são consideradas pretas pela mesma proporção de brasileiros: 96%.

Os pardos são os das fotos 4, 5 e 6. Como fica claro pelos dados, as pessoas das fotos 5 e 6 estão no centro da escala que vai de branco a preto – são os pardos típicos. A pessoa da foto 4 é parda para a maioria da população (73%), mas é considerada branca por ¼ dos brasileiros.

Resumindo, para a população brasileira, pessoas semelhantes às das fotos 1, 2 e 3 são brancas; as semelhantes às das fotos 7 e 8 são pretas, e as fotos 4, 5 e 6 representam os pardos. Essa classificação é útil, pois é com base nela que será possível afirmar que há preconceito, como foi detectado pela PESB.

O preconceito contra nordestino

Para compreender o preconceito brasileiro, a classificação regional parece ser quase tão importante quanto a classificação por cor. Quando se pergunta qual das pessoas fotografadas parece nordestina surgem algumas regularidades importantes. Em primeiro lugar, os dois mais brancos e os dois mais pretos são os menos mencionados. Ou seja, quanto mais nos extremos da escala de cor menos se parece nordestino. Note-se que essa percepção, de que o Nordeste é mais pardo do que preto e branco, está de acordo com a autoclassificação de cor da população brasileira. Segundo os dados do IBGE, são os nordestinos que mais se identificam como pardos.

Em segundo lugar, apenas duas fotos (3 e 6) mereceram mais de metade das menções. Para a foto 5, apenas pouco mais de 1/3 dos entrevistados afirmou que parecia nordestino. É importante sublinhar que a pessoa da foto 3 é a única dos predominantemente brancos considerada também nordestina pela maioria. Os dados revelarão que, apesar de branco, ele não merecerá a mesma avaliação que os outros dois da mesma cor. O que mostra o preconceito contra os nordestinos, mesmo que ele seja branco.*

*A escala foi feita com oito fotos – em vez da tradicional escala de sete pontos – justamente porque no pré-teste da pesquisa a pessoa da foto 3 (branco nordestino) recebeu avaliação diferente do outro branco. Assim, com as oito fotos foi possível ter dois brancos típicos, dois pardos e dois pretos típicos e um branco nordestino. Essa adaptação metodológica permitiu identificar o preconceito contra nordestinos, ainda que de cor branca.

Tabela 2

Quem parece ser um nordestino

Foto	Sim	Não
3	61	36
6	53	44
5	34	63
4	21	76
8	19	78
7	17	80
2	11	86
1	10	87

O preconceito de cor ou racial

Como se pode observar nas Tabelas 3 e 4, os resultados das 17 perguntas mostradas anteriormente* aparecem nos percentuais da população brasileira que considera o indivíduo de cada foto um advogado, um professor etc. Assim, 25% dos brasileiros consideram que o homem da foto 1, a que ocupa o extremo da cor branca, é o que mais se parece com um advogado, enquanto 26% disseram que o que mais se parece com um motorista de táxi é o pardo típico. Uma leitura atenta dos dados da tabela revela a força do preconceito de cor ou racial na maioria da população.

*Para efeito de apresentação, na tabela 3, a ordem na qual as perguntas foram formuladas aos entrevistados foi modificada, colocando próximos os atributos positivos; os negativos e as profissões são apresentados em ordem decrescente de prestígio social.

Tabela 3

Respostas às dez perguntas sobre os atributos de brancos, pardos e pretos

Foto	Mais inteligente	Mais honesto	Tem mais estudo	Modos mais educados	Mais preguiçoso	Criminoso	Dá mais jeitinho	Malandro	Tem menos oportunidades	Mais pobre
1	**27**	**17**	**31**	**29**	8	4	**19**	9	3	2
2	**15**	13	**18**	**15**	**27**	4	13	6	4	3
3	6	10	3	6	8	8	7	4	8	13
4	11	8	13	11	14	**14**	**17**	**19**	4	2
5	8	10	7	7	8	13	12	10	9	15
6	2	4	1	2	**15**	**16**	9	12	**14**	**20**
7	13	**16**	10	14	5	8	6	9	12	13
8	9	10	6	8	4	8	8	**14**	**36**	**22**
Nenhum deles	1	2	1	1	5	14	1	9	4	4
Não é possível responder olhando as fotos	9	10	9	9	8	11	8	8	7	8

Obs.: Os dois maiores percentuais por coluna estão em negrito.

Tabela 4

Continuação: respostas às sete perguntas sobre os atributos de brancos, pardos e pretos

Foto	Advogado	Professor do ensino médio	Motorista de táxi	Porteiro	Lixeiro/varredor de rua	Carregador	Engraxate
1	**25**	**16**	5	3	2	2	2
2	**23**	**20**	9	5	3	6	4
3	6	14	**19**	16	12	8	12
4	15	12	8	7	4	12	4
5	11	11	15	**19**	14	7	12
6	2	6	**26**	**18**	**19**	**25**	10
7	7	9	7	13	11	13	**17**
8	3	5	5	12	**21**	**16**	**20**
Nenhum deles	2	1	1	1	7	3	10
Não é possível responder olhando as fotos	6	6	7	7	8	7	8

Obs.: Os dois maiores percentuais por coluna estão em negrito.

As quatro primeiras colunas da Tabela 3 apresentam os resultados para os atributos positivos. Em três deles, os dois maiores percentuais (em negrito) foram para as duas pessoas mais brancas. Apenas no atributo "mais honesto" é que aparece um não-branco, o preto da foto 7. Considerando-se as oito pessoas das fotos, 49% da população brasileira acreditam que os dois mais brancos são os que têm mais estudo, 42% que são os mais inteligentes e 44% que são eles que têm modos mais educados. Ou seja, os atributos positivos estão claramente associados aos mais brancos. É importante notar, porém, que, embora concentrem as menções positivas, são eles os menos citados quando se pergunta quem mais se parece nordestino. Os percentuais do branco nordestino (foto 3) para os quatro atributos positivos são muito pequenos – o maior é 10% para "mais honesto". Em suma, o preconceito é contra pardos e pretos e a favor dos brancos, mas apenas dos brancos não-nordestinos.

Nos seis atributos negativos, a clara mudança de percentuais reforça a idéia que se forma a partir da aparência. Os brancos das fotos 1 e 2, que predominam nos quatro atributos positivos (eles são os dois mais mencionados, em 7 vezes de um total de 8 possíveis), aparecem agora apenas duas vezes (de um total de 12) entre os dois mais elevados percentuais. Há um claro predomínio de pardos e pretos. Os dois maiores percentuais para "criminoso" são para as fotos 4 e 6, que representam dois pardos.

Os dados não deixam dúvida: ser criminoso é, para a população brasileira, algo mais associado a pardos do que a pretos. Por outro lado, ser malandro, ter menos oportunidade e ser o mais pobre são associados igualmente a pardos e pretos. Note-se ainda que o branco nordestino (foto 3) não é muito mencionado nos atributos negativos. Ou seja, parecer nordestino impede que seja muito mencionado quando se trata dos atributos positivos, e ser branco evita que seja muito mencionado quando são atributos negativos que estão em jogo.

Outro resultado importante diz respeito ao "não-preconceito", que pode ser depreendido das respostas "nenhum deles" e "não é possível responder olhando as fotos". Considerando-se os quatro atributos positivos e os seis negativos, em média 4% da população afirmam que nenhuma das pessoas das fotos pode ser classificada em tais atributos e 9% consideram que não é possível fazer tal classificação por meio das fotos. Esses 13% podem ser aqueles que não têm nenhum tipo de preconceito, mas também podem ser uma mistura dos que não têm preconceito e dos que perceberam que a pesquisa objetivava captar o preconceito e o "esconderam" nas respostas.

O preconceito pôde ser identificado na avaliação dos resultados para as profissões (Tabela 4). Nas duas ocupações de maior prestígio (da lista apresentada de sete profissões/ocupações), os dois brancos não-nordestinos foram os que apresentaram os maiores percentuais de menções. Ou seja, profissão de prestígio elevado é associada a brancos. À medida que esse prestígio diminui, pardos e pretos vão sendo mais mencionados.

Tomando-se os dois maiores percentuais, motorista de táxi é profissão mais de pardo e de branco nordestino; porteiro é uma ocupação de branco nordestino, de pardo e também de preto, e lixeiro, carregador e engraxate estão mais para pardos e pretos. A ocupação de menor prestígio dentre as sete analisadas, engraxate, é também claramente a mais associada a pessoas de cor preta. Captados por metodologia quantitativa de pesquisa, algo inédito no país, os resultados são claros e persuasivos: o preconceito baseado na cor existe, é muito difundido e está enraizado entre nós.

Para facilitar o entendimento da Tabela 3 e visualizar melhor os padrões de respostas, foram somados para cada pergunta os percentuais dos que responderam que o atributo era dos brancos típicos (fotos 1 e 2), dos pardos típicos (fotos 5 e 6) e dos pretos (fotos 7 e 8). Os resultados dessa análise estão representados nos Gráficos 1 a 3.

Se o Gráfico 1 revela que os brancos típicos concentram o maior número de menções para os atributos positivos, favorecidos pela população brasileira como os mais inteligentes e honestos, os que têm mais estudo e são mais educados em relação a pardos e pretos, o preconceito racial claramente os favorece. Por outro lado, ao contrário do que muitos poderiam imaginar, os pardos são mais malvistos do que os pretos. São eles que detêm os menores percentuais em todos os atributos positivos. Portanto, é o meio-termo – isto é, os pardos – que se encontra no lado oposto, ou seja, como mais vítima do preconceito do que os extremos puros: brancos e pretos. Ainda assim não se deve perder de vista que o preconceito contra os pretos é grande. Como se pode depreender dos dados do Gráfico 1, eles estão mais próximos dos pardos do que dos brancos.

Gráfico 1

Atributos positivos – brancos, pardos e pretos

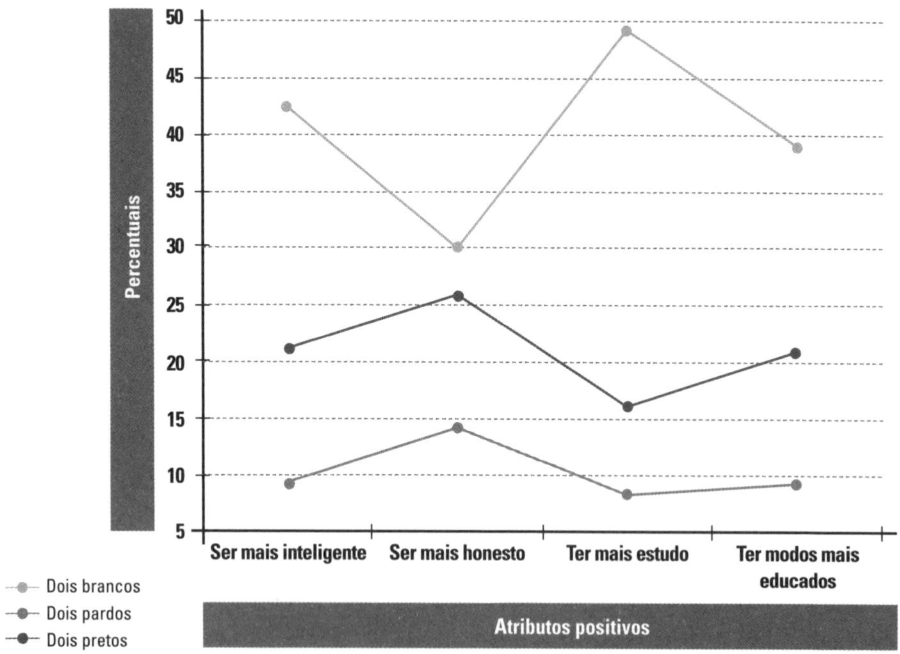

O preconceito detectado por esse padrão de respostas é mais grave do que o associado às profissões. Como os brancos têm acesso a mais oportunidades, eles em geral ocupam profissões de maior prestígio social. Assim, a população brasileira habituou-se a encontrar mais brancos do que pardos e pretos como advogados. Porém, não é possível afirmar que a relação entre cor e inteligência, cor e bons modos, ou entre cor e honestidade possa ser estabelecida porque estatisticamente há mais brancos do que pardos inteligentes ou honestos.* Em outras palavras, não há evidências factuais que sustentem que os pardos sejam menos honestos ou inteligentes do que brancos ou pretos, como há para a associação entre cor e profissões. Portanto, certas crenças têm fundamento estatístico, e outras não, como é o caso do tipo de preconceito retratado pelo Gráfico 1.

Da mesma forma que leva a população a associar atributos positivos mais aos brancos do que a pardos e pretos, o preconceito racial também faz com que os atributos negativos sejam mais relacionados a pretos e pardos (Gráfico 2).

Gráfico 2

Atributos negativos – brancos, pardos e pretos

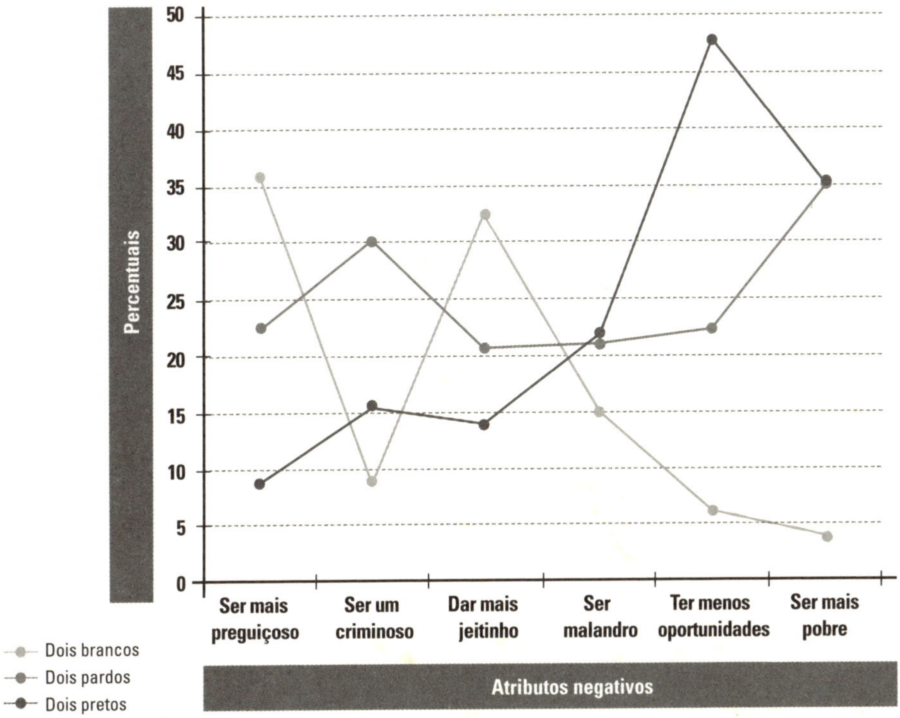

*A "discriminação estatística" ocorre quando se atribui um padrão de comportamento ou característica social a um tipo de pessoa porque estatisticamente essa associação é a mais freqüente ou comum. Veja-se para essa definição o prefácio de Nelson do Valle Silva em *Preconceito e discriminação: queixas de ofensas e tratamento desigual dos negros no Brasil*, de Antônio Sérgio A. Guimarães, 1998.

Ainda que a associação entre cor e atributos positivos seja sempre favorável aos brancos, no caso de duas qualidades negativas isso não acontece: pardos e pretos são considerados menos preguiçosos, e também recorrem menos ao jeitinho do que os brancos. No caso do jeitinho, como vimos no Capítulo 1, embora se trate de algo ambíguo, para os efeitos desta análise, assume-se que seja negativo. Mesmo sendo compreendido por muitos como uma espécie de primeiro passo para a corrupção, ainda há os que o consideram positivo, uma forma legítima para solucionar um problema ou melhorar de vida. É possível que essa ambigüidade leve ao resultado obtido, de que os brancos o usam mais do que pardos e pretos. O mesmo, todavia, não pode ser dito da preguiça. Ser o mais preguiçoso é, sem dúvida, negativo e está mais associado a brancos do que a pardos e pretos.

Nos demais atributos negativos, mais uma vez, detectou-se a força do preconceito. Os brancos estão sempre melhor do que pardos e pretos. Nos atributos pobreza e malandragem, a diferença entre pardos e pretos é insignificante. Os pretos são considerados os que têm menos oportunidades na vida, e os pardos, os que mais se parecem com um criminoso. Particularmente nesse quesito, o resultado é revelador: o número de brasileiros que acham que os pardos são os que mais se parecem com um criminoso é três vezes maior do que o número dos que acham isso dos brancos. O que está longe de ser uma discriminação estatística, pois não há evidências factuais que sustentem que há mais criminosos pardos do que brancos ou pretos.

Há dois atributos negativos que não têm relação necessária com o indivíduo e são vistos por muitos como problemas sociais: ter menos oportunidades e ser pobre. Sabendo-se que para muitos a pobreza é resultado da falta de oportunidades e considerando-se os dois atributos em conjunto, é possível afirmar que os pretos são mais bem-vistos do que os pardos. Isso ocorre porque os pardos são sistematicamente mais mencionados do que os pretos nos atributos negativos individuais (preguiça e crime) e menos em relação à falta de oportunidades. Ou seja, a população brasileira considera que os pretos têm menos oportunidades do que os pardos, mas que estes têm mais características negativas individuais do que os pretos. Mais uma vez a ambigüidade, o pardo, é malvista.*

*Ver Carl Degler, *Nem preto nem branco: escravidão e relações raciais no Brasil e nos EUA*, Rio de Janeiro, Labor do Brasil S.A., 1976, p. 118-120.

Essa avaliação que o brasileiro faz dos pardos pode ser reforçada se forem observados os percentuais para alguns atributos positivos e negativos. São eles os menos honestos, os que mais se parecem com um criminoso, os mais malandros (empatados com os pretos) e os segundos mais preguiçosos. Em resumo, sua imagem está associada à desonestidade e ao crime. O pardo personifica o malandro.* O historiador Carl Degler diria que essa hostilidade decorre de sua imagem como aquele que gosta de se intrometer onde não é chamado, disputando posições com os brancos, principalmente no mercado de trabalho. Ou seja, "o negro conhece o seu lugar e o mulato (pardo) não... o mulato é que é móvel socialmente, não o negro".

Gráfico 3

Profissões – brancos, pardos e pretos

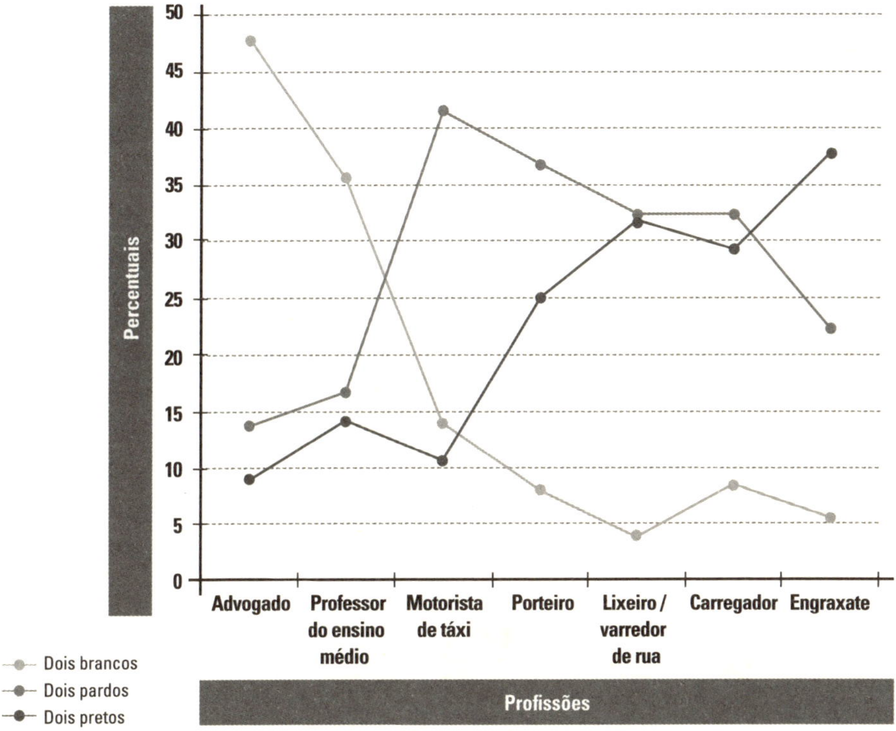

*Ver Roberto DaMatta, *Carnavais, malandros e heróis*, Rio de Janeiro, Guanabara, 1990.

Os resultados por ocupação indicam um claro padrão de classificação profissional. À medida que cai o *status* da profissão, ela se torna menos branca e mais parda e preta. Para a população brasileira, advocacia e ensino médio são ocupações de brancos (48% e 36%, respectivamente). Em seguida há uma queda abrupta na proporção daqueles que acham que os brancos são motoristas de táxi (14%), ocupação na qual predominam os pardos (41%). É interessante notar que a curva do gráfico dos pardos sobe muito na terceira profissão, ao passo que a curva dos pretos sobe apenas na quarta profissão. O que indica que os pretos são vistos como os que ocupam profissões de ainda menos *status* do que os pardos. Essa conclusão se confirma ao observarem-se os percentuais para engraxate: apenas na profissão de menor prestígio social é que os pretos são os mais mencionados.

A discriminação estatística está presente no padrão de respostas encontrado para o perfil de cor das profissões. Como há maiores chances de advogados serem brancos, ao analisarem fotos de pessoas de cores diferentes, os entrevistados associam, por preconceito, a profissão ao branco. A mesma discriminação estatística ocorre à medida que cai o prestígio profissional: menos brancos e mais pardos e pretos são associados a essas ocupações. É a experiência diária da população brasileira.

A complexidade de implementação de uma política de cotas

A análise do preconceito racial indica algumas dificuldades para a implementação de uma política de cotas no Brasil. A PESB comprovou que é possível classificar pessoas diferentes segundo os critérios de cor do IBGE.* Há uma grande coerência na escala de cores/raças das oito fotos. Todavia, essa escala também mostrou que vários fatores poderão funcionar como obstáculos à política de cotas no país:

*Segundo Degler (1976), a diversidade de cores e valores dada à classificação varia entre as diferentes regiões. Não foi o que a PESB identificou. Há variação sim, mas ela é muito pequena, irrelevante.

1. O preconceito é maior contra os pardos do que contra os pretos. Uma política de cotas mais favorável aos mais pretos e um pouco menos aos pardos estará favorecendo os menos prejudicados pelo preconceito.

2. Apesar do maior preconceito contra os pardos, a população afirma que os mais pobres e com menos chances e oportunidades na vida são os pretos. Se essa avaliação estiver baseada em uma "discriminação estatística", aquela que existe porque a maioria das pessoas com uma determinada característica tem um determinado papel ou ocupa uma certa posição social, então uma política de cotas que favoreça as maiores vítimas do preconceito, os pardos, estará desconsiderando e mesmo sendo injusta com aqueles que têm menos oportunidades e são os mais pobres, os pretos.

3. A política de cotas terá que ser ampliada para os brancos nordestinos (aqueles classificados em função da aparência). A pesquisa revela que ser nordestino (ainda que branco) pode ser uma barreira importante para a melhoria de vida. Se compararmos a avaliação que a população faz do branco nordestino (foto 3) e do não-nordestino (fotos 1 e 2), se perceberá que o primeiro é vítima de preconceito. Além disso, é considerado o mais pobre pelo mesmo percentual de pessoas que consideram o preto da foto 7 o mais pobre. Os dados das Tabelas 3 e 4 mostram que a posição dele é pior do que a do preto da foto 7 nos atributos positivos e melhor nos atributos negativos. Portanto, uma política de cotas que desconsidere a situação dos nordestinos brancos provavelmente estará cometendo injustiças.

4. Há diferenças importantes entre os pretos e entre os pardos. O preto da foto 8 é muito mais vítima do preconceito do que o da foto 7 (Tabelas 3 e 4). E o da foto 7 ocupa a segunda melhor posição em "mais honesto" e a terceira melhor quanto a "ter bons modos" – em ambos os casos, mais bem posicionado do que o preto da foto 8. Se levarmos a sério a noção de preconceito, isso significa que alguns pretos terão muito mais dificuldades do que outros. A pesquisa indica que não é apenas a cor que importa, ainda que ela seja preponderante. Assim, uma política de cotas equânime e que almeje a legitimidade terá que levar em consideração tais fatores.

As dificuldades que estamos apontando não significam, de forma alguma, que sejamos contrários à política de cotas no país. Queremos mostrar que, dadas as especificidades brasileiras, políticas que desfrutam grande consenso social e legitimidade em um país, os Estados Unidos, devem ser adaptadas com muito cuidado em circunstâncias sociais diferentes.

A classificação de cor e raça é socialmente construída. A aplicada pelo IBGE, seguindo as categorias preto, pardo e branco, seria totalmente inconcebível e sem sentido nos Estados Unidos. Por outro lado, a ausência de pontos intermediários entre branco e preto (situação norte-americana) é inaceitável no Brasil. Além do mais, como o preconceito também é socialmente construído, varia muito e pode ser uma barreira social importante mesmo para os que não são pardos nem pretos, caso do nordestino branco da foto. Esses resultados funcionam como aviso aos navegantes. Políticas de cotas sim, mas com cautela: baseadas em informações da ciência social, produzidas e analisadas de forma cientificamente rigorosa, considerando as especificidades do Brasil.

capítulo 10

A cor não muda com o contexto social

capítulo 10

"O teu cabelo não nega
Mulata
Porque és mulata na cor
Mas como a cor não pega
Mulata
Mulata quero o teu amor"

"O teu cabelo não nega", de Lamartine Babo e irmãos Valença

Vamos direto ao ponto. O tratamento dispensado a um negro muda quando muda o contexto social? Subindo alguns degraus na escala social, consegue o negro escapar ao preconceito? No livro *Não somos racistas*, o jornalista Ali Kamel retoma uma velha controvérsia, afirmando que o principal problema no Brasil não é a discriminação racial, mas a baseada na classe social.

Em estudo apoiado pelo Programa das Nações Unidas para o Desenvolvimento (PNUD), entretanto, Rafael Guerreiro Osório* baseia-se em pesquisas recentes para declarar que "ainda que se comparem brancos e negros do mesmo nível socioeconômico, persistem desigualdades entre eles inatribuíveis a outras fontes que não o racismo". Lenta mas progressivamente, o país toma consciência de seu próprio racismo, embora a popularidade do livro de Kamel mostre que ainda há vozes dissonantes.

Para avaliar quantitativamente essa hipótese, a PESB procurou responder a uma questão: a percepção que se tem da cor de alguém pode variar segundo o *status* atribuído a sua profissão? Para isso a pesquisa utilizou o método de amostra dividida: a amostra total da pesquisa é dividida em duas outras idênticas, com apenas uma diferença: em uma delas, aplica-se uma outra versão de uma determinada pergunta – ou de mais de uma. O que fizemos foi, na pri-

*Em "A Mobilidade Social dos Negros Brasileiros", parte do projeto Combate ao Racismo e Superação das Desigualdades Raciais, apoiado pelo PNUD.

meira versão, apresentar a foto a seguir com a seguinte pergunta: "Gostaria que o(a) senhor(a) olhasse a foto desse mecânico de carro e dissesse se essa pessoa é branca, parda ou preta."

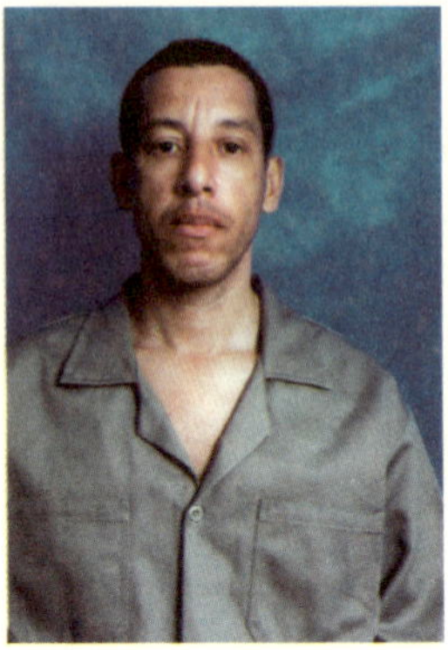

Mecânico de carro

Na segunda versão do questionário, o entrevistado era confrontado com outra foto da mesma pessoa, agora vestida de terno, com a pergunta: "Gostaria que o(a) senhor(a) olhasse a foto desse advogado e dissesse se essa pessoa é branca, parda ou preta." Cada uma dessas versões foi dirigida a grupos diferentes, porém com o mesmo perfil de escolaridade, sexo, idade etc.

Advogado

Se a hipótese de que o contexto modifica a percepção que se tem da cor de alguém estiver correta, então deve-se esperar que as respostas às duas perguntas sejam bastante diferentes. Nesse caso, o advogado tenderá a ser mais classificado como branco do que o mecânico de carro. Note-se que a foto para esse experimento foi cuidadosamente escolhida. Ela deveria mostrar um pardo típico, porque apenas assim seria possível testar a variação pendular da cor.* Como o pardo típico está exatamente no meio da escala que vai do branco ao preto, é com ele que melhor se pode avaliar o efeito do contexto, nesse caso a profissão, na forma pela qual as pessoas vêem a cor de alguém.

Outro cuidado importante foi colocar essas perguntas antes das questões sobre relações raciais, que se iniciava no bloco posterior. Com isso, pretendemos assegurar que não houvesse influência de um bloco de perguntas sobre as respostas ao outro. Antes, porém, de passarmos aos resultados, cumpre explicar por que essa técnica, com perguntas em duas versões de questionário, permite avaliar a hipótese em questão.

Aconteceu com a empregada doméstica do autor desse livro

Ela estava fazendo aulas de auto-escola para tirar carteira de motorista. Em duas ocasiões, ela foi sozinha à auto-escola tentar obter informações importantes para a prova que ia fazer e não conseguiu.

Quando eu fui, obtive as informações necessárias.

Isso aconteceu no bairro do Itaim, no município de São Paulo, em abril de 2006.

Ela é preta; eu sou branco.

*Os resultados do pré-teste da PESB indicaram que essa pessoa era um pardo típico.

A técnica da amostra dividida

A expressão derivada do inglês *split ballot* designa uma técnica muito difundida entre metodólogos e coordenadores de *survey* porque permite testar perguntas a um custo relativamente baixo. Mais importante do que isso, permite proceder a experimentos nos quais todas as variáveis são mantidas constantes, menos uma, a que é mensurada pela pergunta que varia de acordo com a versão do questionário.

Em amostras divididas, há pelo menos duas versões ligeiramente diferentes do mesmo questionário, aplicadas nas subamostras da pesquisa. É o que irá assegurar que as eventuais variações nas respostas possam ser inteiramente atribuídas às diferentes versões.* A título de exemplo, imagine uma pesquisa em que as duas versões do questionário aplicado sejam idênticas, à exceção de apenas uma pergunta. Numa delas, avalia-se o governo, oferecendo-se ao entrevistado como opções de resposta "ótimo", "bom", "ruim" e "péssimo". Na outra, as alternativas incluem também "regular". Assim, as diferenças entre os percentuais obtidos para as respostas "ótimo", "regular", "ruim" e "péssimo" poderão ser inteiramente atribuídas (desconsiderando-se a margem de erro da pesquisa) à diferença na formulação da pergunta.

Os dados da amostra dividida da PESB estão nas Tabelas 1 a 5. Para cada tabela, apresentamos a proporção de entrevistados por versão de questionário e a proporção total da amostra.

Na Tabela 1, pode-se perceber que o perfil das duas subamostras, versões 1 e 2, é muito semelhante para todos os cruzamentos realizados. Observa-se que, na versão 1, 29% dos entrevistados eram habitantes do Nordeste, na versão 2, 27%, e no total da amostra, 28%. As diferenças são pequenas (a maior delas é de 4 pontos percentuais para a faixa até a 4ª série de escolaridade) e praticamente todas estão compreendidas na margem de erro da pesquisa, que é de aproximadamente 2 pontos percentuais para cima ou para baixo. Portanto, pode-se afirmar que as diferenças, se ocorrerem, na análise das duas perguntas sobre a cor do mecânico e do advogado não serão causadas por diferenças nas duas subamostras.

*É importante que as duas versões do questionário não sejam muito diferentes. Caso isso aconteça, corre-se o risco de não se realizar um experimento, mas simplesmente duas pesquisas diferentes com amostras idênticas e menores do que uma amostra única.

Tabela 1

Amostra dividida por região

	Norte	Centro-Oeste	Nordeste	Sudeste	Sul
Versão 1	5	6	29	45	15
Versão 2	5	7	27	45	16
Total	5	7	28	45	16

Tabela 2

Amostra dividida por sexo

	Masculino	Feminino
Versão 1	47	53
Versão 2	47	53
Total	47	53

Tabela 3

Amostra dividida por idade

	18 a 24	25 a 34	35 a 44	45 a 59	60 ou mais
Versão 1	18	24	22	24	14
Versão 2	18	21	25	23	13
Total	18	22	23	23	13

Tabela 4

Amostra dividida por escolaridade

	Analfabeto	Até a 4ª série	Da 5ª à 8ª série	Ensino médio	Superior ou mais
Versão 1	8	27	23	31	11
Versão 2	10	23	22	31	13
Total	9	25	23	31	12

Tabela 5

Amostra dividida por PEA e não-PEA

	Não- PEA	PEA
Versão 1	32	68
Versão 2	29	71
Total	31	69

Quem é mais preto, o mecânico de carro ou o advogado?

Pelos resultados obtidos, a hipótese que defende que a cor depende do contexto está errada. Ao contrário da teoria que diz que profissões de *status* mais elevado "embranquecem" as pessoas, as diferenças apontadas pela pesquisa mostraram que a identificação que se fez do homem da foto não sofreu qualquer influência. A proporção da população brasileira que o classifica como "pardo" é rigorosamente a mesma, esteja ele vestido de terno, como advogado, ou de macacão, apresentado como mecânico de carro.

Tabela 6

A mudança de cor por profissão

	Preto	Pardo	Branco	Não é possível classificar com essas categorias
Mecânico de carro (versão 1)	9	76	14	1
Advogado (versão 2)	16	76	7	1
Total	12	76	11	1

Os percentuais, na verdade, seguiram na direção oposta à esperada. Surpreendentemente, o advogado é mais identificado como preto do que o mecânico. As diferenças nas porcentagens de "branco" e de "preto" são irrelevantes do ponto de vista estatístico (9% e 16% para preto e 14% e 7% para branco).

A conclusão é consistente: o contexto não muda a forma como os brasileiros vêem a cor das pessoas. Uma pessoa será branca, independentemente de profissão, classe social, relações pessoais, ou qualquer outro elemento contextual. O mesmo se aplica a pardos e pretos.

Se você tivesse uma filha, preferiria que ela se casasse com um branco, um preto ou um pardo? Mesmo que o branco fosse mecânico de carro?

Há várias maneiras de mensurar o preconceito racial. Na PESB, usamos duas. Na primeira, foi medido o assim chamado preconceito estatístico. Foram apresentadas sete fotos que formavam uma escala entre a pessoa mais branca possível, de acordo com características como cabelo e olhos claros, e a mais preta possível, com lábios grossos e nariz achatado. Solicitamos aos entrevistados que dissessem qual daquelas pessoas era a mais inteligente, a mais pobre, a mais preguiçosa, a mais malandra etc. Essa maneira de medir o preconceito mensura, em grande parte, as percepções sociais mais difundidas: se as pessoas de cor preta são vistas como mais pobres, então haverá a tendência dos resultados captarem esta percepção. Daí a expressão "preconceito estatístico".

A outra maneira utilizada na PESB foi a apresentação de fotos que combinavam três características: a cor da pessoa – branco, pardo e preto; a profissão – advogado, professor de ensino médio e mecânico de carro, e a origem regional dividida entre nordestino e não-nordestino. Para isso, apresentamos três cartões diferentes, cada qual com as três fotos (tal como visto na seqüência dos cartões 1, 2 e 3) e as respectivas características. Por exemplo, no cartão 1, o branco e o pardo estão trajando macacão e foram apresentados para o entrevistado como mecânicos. O preto, vestindo camisa social, foi mostrado aos entrevistados como professor do ensino médio.

No cartão 2, o branco era um advogado nordestino, o pardo, um professor do ensino médio também nordestino e o preto, um mecânico de carro. Em todas as fotos, as roupas buscavam estar de acordo com o que se espera da respectiva profissão. No cartão 3, o branco era apresentado como professor do ensino médio, o pardo como advogado e o preto como advogado nordestino.

Cartão 1

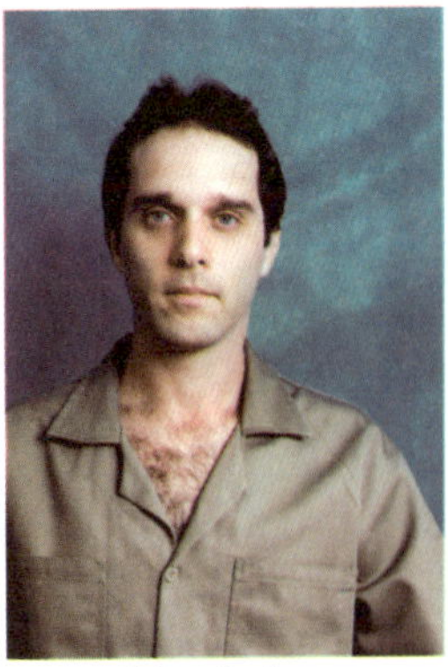

Mecânico

Mecânico

Professor

Cartão 2

Advogado nordestino

Professor nordestino

Mecânico

Cartão 3

Professor

Advogado

Advogado nordestino

Para cada um dos três cartões foram feitas quatro perguntas:

1. Se o(a) senhor(a) não tem filha, eu gostaria que o(a) Sr.(a) imaginasse que uma filha sua fosse escolher um desses homens para se casar. Com qual o(a) Sr.(a) gostaria que sua filha se casasse?
2. E se o(a) senhor(a) pudesse escolher um desses homens para dar um emprego de confiança? Qual escolheria?
3. E se o(a) senhor(a) pudesse escolher um desses homens para ser seu chefe no trabalho, qual escolheria?
4. Se pudesse escolher, qual deles o(a) senhor(a) gostaria que fosse seu vizinho?

Diferentemente da primeira forma de medir o preconceito, dessa maneira avaliamos as percepções pelo modo como estamos acostumados a ver com maior freqüência – os brancos têm os melhores empregos, os pretos são os mais pobres. Foi a forma para que pudéssemos avaliar o preconceito normativo. Aquele "preconceito ativo", que faz com que as pessoas tomem decisões acerca de como elas gostariam que o mundo fosse organizado.

Se alguém prefere que sua filha venha a se casar com um branco e não com um pardo, será este o primeiro passo para induzir a moça, ou outras pessoas de seu relacionamento pessoal, a se comportar de acordo. O mesmo se aplica à escolha do local de moradia, à vizinhança, e à escolha de um emprego, em função das pessoas com as quais será obrigado a conviver ou trabalhar.

As nove fotos foram apresentadas em nove combinações diferentes entre cor, profissão e origem regional. Os resultados aparecem nas Tabelas de 7 a 9. Em cada uma delas, foram assinalados em negrito os percentuais mais elevados, embora a simples observação não permita obter nenhuma conclusão de grande relevância sobre o preconceito racial, nem sobre a influência que a profissão ou origem regional possam vir a ter sobre ele. Na Tabela 9 (cartão de fotos 3), não há nada em negrito na segunda coluna porque os percentuais ficaram muito próximos, dentro da margem de erro da pesquisa.

Tabela 7

Cartão de fotos 1 – Preferência por branco, pardo ou preto em função de profissão e origem regional

	Pessoa com quem gostaria que a filha se casasse	Pessoa a quem daria um emprego de confiança	Pessoa que escolheria para ser seu chefe no trabalho	Pessoa que gostaria que fosse seu vizinho
Branco, mecânico de carro	**43**	20	29	22
Pardo, mecânico de carro	15	25	23	22
Preto, professor do ensino médio	27	**46**	**38**	**35**
Tanto faz, qualquer um	15	9	10	20
Nenhum deles	0	0	0	0

Tabela 8

Cartão de fotos 2 – Preferência por branco, pardo ou preto em função de profissão e origem regional

	Pessoa com quem gostaria que a filha se casasse	Pessoa a quem daria um emprego de confiança	Pessoa que escolheria para ser seu chefe no trabalho	Pessoa que gostaria que fosse seu vizinho
Branco, advogado, nordestino	**54**	21	**39**	21
Pardo, professor do ensino médio, nordestino	21	**36**	34	28
Preto, mecânico de carro	10	34	18	**31**
Tanto faz, qualquer um	15	9	9	20
Nenhum deles	0	0	0	0

Tabela 9

Cartão de fotos 3 – Preferência por branco, pardo ou preto em função de profissão e origem regional

	Pessoa com quem gostaria que a filha se casasse	Pessoa a quem daria um emprego de confiança	Pessoa que escolheria para ser seu chefe no trabalho	Pessoa que gostaria que fosse seu vizinho
Branco, professor do ensino médio	**50**	31	**32**	**29**
Pardo, advogado	21	29	**32**	23
Preto, advogado, nordestino	14	31	24	27
Tanto faz, qualquer um	15	10	11	21
Nenhum deles	0	0	0	0

Uma maneira de organizar estes dados é decompô-los em função das características estudadas. Assim, como são quatro perguntas para três cártões com três fotos, as cores – branco, pardo e preto – aparecem 12 vezes cada uma delas. Além disso, o experimento foi elaborado de tal forma que as profissões aparecessem também 12 vezes. O mesmo se aplica à origem de nordestino, ao passo que não mencionar a origem, isto é, a de não-nordestino é a única característica presente 24 vezes.

A Tabela 10, que apresenta os mesmos dados das Tabelas 7 a 9, deixa bastante claro que os brancos são os preferidos – NA MÉDIA – quando se deseja que a filha case com alguém, ou nas situações de trabalho e moradia. Esta conclusão vale independentemente da profissão e da região da pessoa de cor branca. No outro extremo, a maior vítima de preconceito não é o negro, como muitos podem achar, mas o pardo. Conclusão que já tinha sido obtida na medição sobre preconceito estatístico.

- 31% dos brasileiros, na média, preferem pessoas de cor branca quando se trata de escolher o marido para a filha, o colega de trabalho, chefe ou subordinado, e o vizinho;

- A proporção é de apenas 24% para os pardos, as maiores vítimas do preconceito;
- E 26% para as pessoas de cor preta.

Tabela 10

Os brancos são menos vítimas do preconceito

			Branco	Pardo	Preto
Cartão 1	pergunta 1	casar	39	14	25
	pergunta 2	dar emprego	18	23	43
	pergunta 3	chefe	27	22	35
	pergunta 4	vizinho	21	21	34
Cartão 2		casar	50	20	10
		dar emprego	19	34	32
		chefe	36	32	17
		vizinho	20	26	30
Cartão 3		casar	47	20	13
		dar emprego	29	27	29
		chefe	31	30	23
		vizinho	28	22	26
		Média	**31**	24	26

Observando-se este mesmo dado de maneira mais específica, isto é, decompondo-o em função da pergunta, vê-se que o branco é preferido por 45% (quase metade da população) para casar com uma filha (Tabela 11). É de longe a escolha quando se trata de alguém para fazer parte da família.

O branco também é o preferido quando se trata de escolher o chefe no trabalho, o que vale para 31% da população. Os pardos não lideram a preferência em nenhuma das quatro perguntas. São os pretos que ficam na frente em "dar um emprego de confiança" e "ter como vizinho".

Tabela 11

O preconceito de cor em função de casamento, emprego e local de moradia

	Branco	Pardo	Preto
Casar	39	14	25
	50	20	10
	47	20	13
	45	18	16
Dar emprego	18	23	43
	19	34	32
	29	27	29
	22	28	**34**
Chefe	27	22	35
	36	32	17
	31	30	23
	31	28	25
Vizinho	20	26	30
	21	21	34
	28	22	26
	23	23	**30**

*A linha em tom de cinza mais escuro aponta as médias, e os valores em negrito, o maior resultado.

A análise das profissões (Tabela 12) mostra que há diferenças importantes. Na média das 12 situações, os professores de ensino médio têm mais prestígio do que os advogados. Eles são os preferidos nas situações de casamento, relacionamento no emprego e na vizinhança. Hipóteses que expliquem esse resultado podem associar a profissão como típica de classe média, mais almejada do que a advocacia por diferentes grupos sociais, ou mesmo porque o fato de ensinar é visto como importante, relevante e socialmente útil. O fato é que, independentemente das explicações possíveis, o prestígio não segue necessariamente as percepções existentes sobre a remuneração de cada ocupação/profissão. Acredita-se que, na média, os advogados sejam mais bem pagos e tenham mais oportunidades do que os professores do ensino médio. Porém, o prestígio social não segue esta visão.

Tabela 12

Professor do ensino médio tem mais prestígio do que advogado, que tem mais prestígio do que mecânico de carro

Advogado		Professor		Mecânico	
Casar	50	Casar	25	Casar	39
Dar emprego	19	Dar emprego	43	Casar	14
Chefe	36	Chefe	35	Dar emprego	18
Vizinho	20	Vizinho	34	Dar emprego	23
Casar	20	Casar	20	Chefe	27
Casar	13	Dar emprego	34	Chefe	22
Dar emprego	27	Chefe	32	Vizinho	21
Dar emprego	29	Vizinho	26	Vizinho	21
Chefe	30	Casar	47	Casar	10
Chefe	23	Dar emprego	29	Dar emprego	32
Vizinho	22	Chefe	31	Chefe	17
Vizinho	26	Vizinho	28	Vizinho	30
	26		**32**		23

Resumindo, se os brancos são os preferidos quando se trata de casamento e chefia no trabalho e os pretos quando está em jogo um emprego de confiança e a vizinhança, entre as profissões, o professor de ensino médio é unanimidade. Lidera as preferências nas quatro situações analisadas (Tabelas 12 e 13).

Por outro lado, diferente do que ocorre com a cor – com os brancos liderando folgadamente as preferências para casamento –, quando se fala de profissão, os professores não ficam muito distantes dos advogados. O que é de suma importância, já que se trata de um tema fundamental na sociedade brasileira: quem faz e quem não faz parte da família.

Tabela 13

O prestígio profissional em função de casamento, do emprego e do local de moradia

	Advogado	Professor	Mecânico
Casar	50	25	39
	20	20	14
	13	47	10
	27	**31**	21
Dar emprego	19	43	18
	27	34	23
	29	29	32
	25	**35**	24
Chefe	36	35	27
	30	32	22
	23	31	17
	30	**33**	22
Vizinho	20	34	21
	22	26	21
	26	28	30
	23	**29**	**24**

*A linha em tom de cinza mais escuro aponta as médias, e os valores em negrito, o maior resultado.

O mesmo tipo de análise foi realizado para comparar nordestinos e não-nordestinos. O resultado é que não há nenhuma diferença entre as duas origens: 27% preferem os nordestinos (média de 12 situações) e 27% preferem os não-nordestinos (média de 24 situações).

A hierarquia cor – profissão: o contexto não muda a cor, mas diminui ou aumenta o preconceito

As três cartelas de fotos apresentam nove diferentes combinações entre cor (três cores diferentes) e ocupação (três ocupações). Por outro lado, a combinação entre as duas médias, relativa à cor com a que diz respeito à profissão, resulta em uma hierarquia de cor – profissão (Tabela 14).

Alguns resultados merecem destaque:

- Os brancos ocupam as duas primeiras posições;
- Os pardos ocupam as duas últimas posições;
- Nas cinco primeiras posições, três são brancos;
- As quatro últimas posições são ocupadas por pardos (duas) e pretos (duas);
- Ser branco e mecânico de carro (a profissão de menor *status*) é melhor do que ser pardo ou preto e advogado;
- Nas quatro primeiras posições, quatro são professores;
- O pardo e o preto mais bem posicionados são os que estão associados à profissão de professor.

Os resultados reafirmam que há preconceito racial, favorecendo os brancos em detrimento de pardos e pretos. E ele não é suave (se é que se pode dizer que há preconceito suave) como o estatístico; trata-se sim de um preconceito normativo. Tem interação com a posição social mensurada com a ajuda de uma *proxy*: a profissão. Os pardos e pretos que alcançam uma posição social melhor (algo equivalente a professor do ensino médio) são vistos com menos preconceito do que os que ficam na base da pirâmide social (mecânico de automóveis).

Quando este resultado é analisado à luz da amostra dividida utilizada para medir o impacto do contexto social na cor, pode-se afirmar que não se muda a percepção de cor que se tem de alguém por causa da profissão ou do contexto, mas o preconceito diminui na medida em que pretos e pardos ascendem socialmente. Embora continuem sendo vistos como pretos ou pardos, da mesma forma como quando estavam na base da pirâmide, as barreiras que antes existiam diminuem quando eles galgam alguns degraus na pirâmide social.

Esta é uma conclusão de grande importância sociológica, pois ajuda a matizar e polemiza com visões mais tradicionais sobre a cultura brasileira, que sustentam que o contexto social, como que em um passe de mágica, altera a visão que os brasileiros têm da cor das pessoas.

Tabela 14

Preconceito: é melhor ser branco...

	Cor e profissão	%
1	branco professor	32
2	branco advogado	29
3	preto professor	29
4	pardo professor	28
5	branco mecânico	27
6	preto advogado	26
7	preto mecânico	25
8	pardo advogado	25
9	pardo mecânico	24

O preconceito é distribuído de maneira muito homogênea

A análise dos subgrupos da sociedade brasileira mostra que o preconceito de cor é distribuído de maneira homogênea entre todos os grupos demográficos. Não foram encontradas diferenças relevantes entre:

- Faixas de escolaridade;
- Faixas de idade;
- Sexo;
- Residentes em capitais e não-capitais;
- PEA e não-PEA.

Certas distinções, no entanto, foram observadas entre as cores (branco, pardo e preto) e entre as diversas regiões do país, mais especificamente no Sul, que tende a ser mais preconceituoso a favor dos brancos. A situação escolhida para a análise é a preferência por alguém para casar com a filha. Como já foi mencionado, quando o que está em jogo é a ampliação da família, o preconceito favorece de forma mais clara o branco.

Os dados revelam com muita clareza o preconceito racial. Ainda que a profissão de professor tenha um *status* bem superior à de mecânico, brancos e pardos preferem que a filha se case com um mecânico branco a com um professor preto (Tabela 15). Também quando se compara o branco e o pardo com a mesma profissão, nota-se mais uma vez a preferência de brancos e pardos pelo casamento da filha com um branco.

Outro resultado interessante é que os pardos preferem o preto professor e o branco mecânico ao pardo mecânico, quando se trata de ampliar a família pelo casamento (Tabela 15). Ao contrário de pardos e brancos, os pretos expressam preferência pelo casamento com alguém da mesma cor, professor do ensino médio. Como para os pretos é menor a dificuldade de casamento com outro preto, a profissão acaba sendo o fator preponderante na escolha. E, nesse caso, a predileção recai sobre a profissão de maior *status*. O que revela ainda que os pretos não estão buscando o embranquecimento, mas apenas que suas filhas tenham a chance de se casar com alguém mais bem posicionado na escala social.

Tabela 15

Cartão de fotos 1 – Preferência de cor para casar com a filha

	Branco, mecânico de carro	Pardo, mecânico de carro	Preto, professor do ensino médio	Tanto faz, qualquer um	Nenhum deles
Preto	22	23	**43**	12	0
Pardo	**36**	18	**31**	15	0
Branco	**53**	10	20	16	1

No experimento com o cartão de fotos 3 fica evidente o impacto da profissão. Como seria de esperar, a preferência pelo branco professor de ensino médio é bem maior do que pelos pardos e pretos com profissão de *status* social mais baixo. Mas também merece destaque o fato de que os pretos tiveram maior percentual de preferência por alguém da mesma cor (mesmo com *status* profissional mais baixo) do que os pardos em relação a outro pardo, mesmo ele sendo mostrado com a mesma profissão do preto, ou seja, advogado (Tabela 16). Isso mostra que os pardos têm maior tendência de abandonar a mistura com pessoas de sua própria cor do que os pretos.

Há várias interpretações para este fenômeno: os pardos querem embranquecer, ao passo que os pretos não; os pretos têm preconceito às avessas etc. Mas uma hipótese razoável é a maior dificuldade dos pretos, em comparação aos pardos, de se misturar a outras etnias. Os pardos já são misturados, o que os deixa mais à vontade para buscar casamentos com pessoas de outra cor, mais notadamente com um branco de *status* social mais elevado.

Tabela 16

Cartão de fotos 3 – Preferência de cor para casar com a filha

	Branco, professor do ensino médio	Pardo, advogado	Preto, advogado, nordestino	Tanto faz, qualquer um	Nenhum deles
Preto	**35**	24	28	12	1
Pardo	**47**	22	17	13	0
Branco	**57**	19	7	16	0

O diagnóstico que enfatiza as diferenças entre pretos e pardos é reforçado pelo cartão de fotos que compara o pardo professor com o preto mecânico e o branco advogado (Tabela 17). Mais uma vez, os pretos, comparados com os pardos, têm uma tendência maior de escolher pessoas de sua cor, mesmo com um *status* profissional mais baixo – o que é o caso em todas as comparações da Tabela 16, a buscar alguém de outra cor.

Outro resultado que merece atenção é a preferência dos brancos por outro branco para o casamento, ainda que com menor *status* social do que pardos ou pretos. Em todas as situações, mais da metade – 53% para o branco mecânico (Tabela 15), 57% para o branco professor (Tabela 16) e 63% para o branco advogado (Tabela 17) –, essa preferência se confirmou. O que mostra que, nesse sentido, os brancos são menos propensos à mistura com pardos ou pretos. Em segundo lugar estão os pretos e, por último, os pardos. De fato, são os pardos os que mais aceitam se misturar, de preferência com pessoas brancas.

Tabela 17

Cartão de fotos 2 – Preferência de cor para casar com a filha

	Branco, advogado, nordestino	Pardo, professor do ensino médio, nordestino	Preto, mecânico de carro	Tanto faz, qualquer um	Nenhum deles
Preto	**33**	29	26	11	1
Pardo	**48**	26	12	15	0
Branco	**63**	16	5	16	0

Outra importante diferença na distribuição do preconceito é regional (Tabela 18). Os residentes da região Sul têm clara preferência por brancos, ao passo que os habitantes do Centro-Oeste tendem a ser mais influenciados pelo *status* social e ficam acima da média nacional na preferência por um preto que seja professor.

Como no Sul há uma maior proporção de brancos na população total, isso pode explicar em parte por que o preconceito a favor dos brancos é maior do que nas demais regiões brasileiras.

Tabela 18

Cartão de fotos 1 – Preferência de cor para casar com a filha por região do Brasil

	Branco, mecânico de carro	Pardo, mecânico de carro	Preto, professor do ensino médio	Tanto faz, qualquer um	Nenhum deles
Norte	38	18	29	13	2
Centro-Oeste	35	18	**35**	12	0
Nordeste	40	19	31	10	0
Sudeste	44	12	25	18	1
Sul	**48**	14	22	16	0

Pode-se dizer que, na média, os habitantes do Sul e do Sudeste têm maior preferência por brancos para o pretendente da filha – com destaque para o Sul. As populações das outras três regiões do país parecem dar menos importância à cor nesse tipo de escolha.

O mapeamento do preconceito

Por meio de pesquisa de opinião, a PESB realizou o primeiro mapeamento consistente do preconceito racial no país. As tentativas anteriores esbarraram em perguntas formuladas de maneira pouco adequada, que induziam o entrevistado a camuflar seu preconceito. Como nesta pesquisa foi utilizada uma metodologia indireta, isso tornou possível ao Brasil mostrar sua verdadeira cara. Os dados não permitem negar a existência do preconceito racial em nosso país.

As controvérsias acerca da metodologia aplicada tendem a não ter fim. Em particular no que se refere às críticas – fundamentadas ou não – de colegas cientistas sociais e antropólogos. Com freqüência, o *survey* é visto por eles como não sendo capaz de captar "realmente o que acontece".

Na metodologia usada da PESB, a profissão foi empregada como uma *proxy* de contexto social, para expressar a situação social das pessoas. Em uma pesquisa de opinião, o entrevistado gasta pouco tempo refletindo sobre as perguntas. Para tomar o exemplo da pessoa identificada pelos entrevistados como parda na amostra dividida – apresentada, tanto verbalmente quanto pelas roupas com que aparece nas fotos, com profissões diferentes – é considerada da mesma forma tanto pelos que foram informados tratar-se de um advogado quanto por aqueles a quem se disse tratar-se de um mecânico. Na "vida real", depois de repetidas interações, é possível que seja diferente, que após conviver um determinado tempo com um pardo advogado, alguém passe a vê-lo e classificá-lo como branco. Na metodologia do *survey*, no entanto, esta hipótese (ou tese) não encontra sustentação.

Todas as metodologias têm vantagens e desvantagens, pontos fortes e limitações. Na metodologia de *survey*, pela primeira vez aplicada de forma sistemática para avaliar algumas hipóteses sobre a sociedade brasileira, nem sempre as conclusões antropológicas encontram respaldo. Antes que possíveis críticas a ela venham tentar invalidar as conclusões obtidas, vale lembrar que é esta pluralidade que fará com que entendamos melhor o Brasil.

capítulo 11

Política de cotas: o brasileiro não muda de cor

capítulo 11

"Felicidade, passei no vestibular
mas a faculdade é particular
particular, ela é particular
particular, ela é particular
Livros tão caros, tanta taxa pra pagar
meu dinheiro muito raro,
alguém teve que emprestar
o meu dinheiro, alguém teve que emprestar
o meu dinheiro, alguém teve que emprestar
(...)
E depois de tantos anos,
só decepções, desenganos
dizem que sou um burguês muito privilegiado
mas burgueses são vocês
eu não passo de um pobre coitado
e quem quiser ser como eu,
vai ter é que penar um bocado
um bom bocado, vai penar um bom bocado,
um bom bocado, vai penar um bom bocado"

"O pequeno-burguês", de Martinho da Vila

A política de cotas não induz o brasileiro a "escurecer" a cor na autodeclaração

De vez em quando, os jornais noticiam que brancos declaram ser pardos ou pretos visando ser favorecidos pela política de cotas em processos de seleção para empregos ou em vestibulares. Episódios deste tipo espalham o receio de que essa política seja prejudicada por declarações falsas da cor. De que adiantaria favorecer pretos e pardos se os brancos começassem a mudar sua classificação de cor para tentar se beneficiar? Caso isso acontecesse, a política de cotas perderia completamente o fraco apoio que tem junto às elites.

É SEMPRE NOTÍCIA NO BRASIL...

CÂMARA APRESSA COTAS RACIAIS PARA UNIVERSIDADES FEDERAIS. Professores de Direito alertam que mudança pode ferir a Constituição. A Câmara aprovou ontem o projeto que cria o sistema de cotas nas universidades federais. Pela decisão, que ainda vai ao Senado mas não deve ser alterada, 50% das vagas das federais serão reservadas para alunos da escola pública. Professores de Direito Constitucional afirmam que cotas de 50% são excessivas e ferem o princípio de igualdade estabelecido na Constituição. – *O Globo*, 9/2/2006

REITORES: UNIVERSIDADES NÃO ESTÃO PREPARADAS PARA COTAS. Oposição quer que projeto seja votado no plenário da Câmara antes de ir para o Senado. Os reitores das universidades federais tentarão mudar no Senado o projeto que prevê a implantação, em quatro anos, de cotas de 50% para alunos da escola pública, negros e índios. – *O Globo*, 10/2/2006

Essa possibilidade foi testada na Pesquisa Social Brasileira (PESB) por meio de uma amostra dividida ou *split ballot*, de tal maneira que eventuais diferenças nas respostas pudessem ser atribuídas exclusivamente à maneira como uma determinada pergunta foi feita. Ou seja, o perfil de renda, escolaridade, sexo, idade, região de moradia etc. é o mesmo nas duas amostras.

Para mensurar a cor do brasileiro, na Amostra 1, foram aplicadas as seguintes perguntas:

– Qual a sua cor ou raça?

– O Instituto Brasileiro de Geografia e Estatística, responsável pelos censos no Brasil, usa os termos preto, pardo, branco, amarelo e índio para classificar a cor ou raça das pessoas. Qual desses termos descreve melhor a sua cor ou raça?

Na primeira pergunta, a resposta era aberta. O entrevistado poderia dizer a cor que quisesse. Na segunda, as opções de respostas eram mencionadas no enunciado.

Na Amostra 2, foram aplicadas as mesmas perguntas. Antes, porém, foi lido para o entrevistado o seguinte texto:

– O tema cor e raça é muito importante no Brasil. O governo já está fazendo reserva de vagas em empregos públicos para negros, porque eles têm tido menos oportunidades do que os brancos em conseguir bons empregos. Antes dessa mudança, para conseguir empregos públicos as pessoas faziam os mesmos testes ou concursos, e as que tinham os melhores resultados conseguiam o emprego. Agora os negros têm garantido alguns bons empregos públicos, mesmo que seus resultados nos testes e concursos não sejam os melhores.

Isto significa que, na Amostra 1, as perguntas sobre a cor foram feitas sem o estímulo da política de cotas e na Amostra 2 foram feitas com esse estímulo. Assim, caso a política de cotas induza as pessoas a "escurecerem" sua autodeclaração de cor, espera-se que na pergunta da Amostra 2 haja menos brancos e mais pretos e pardos. Pelos resultados, não é o que acontece.

Tabela 1

O brasileiro não muda de cor por causa da política de cotas – pergunta aberta

	Amostra 1	Amostra 2
	sem estímulo	com estímulo
Preta	3	2
Parda	16	17
Branca	45	42
Amarela	2	1
Morena	26	25
Mulata	1	1
Negra	5	9
Índio	0	1
Outra	1	1
NS/NR	1	2

Tabela 2

O brasileiro não muda de cor por causa da política de cotas – pergunta fechada com as opções de resposta

	Amostra 1	Amostra 2
	sem estímulo	com estímulo
Preta	10	11
Parda	33	34
Branca	46	44
Amarela	4	3
Índio	6	5
Outro	0	0
NS/NR	2	3

O percentual de pessoas que se declaram brancas nas duas amostras fica na margem de erro estatística da pesquisa; é rigorosamente o mesmo. Além disso, todos os demais percentuais – para as respostas nas outras cores – são também idênticos. Isso permite afirmar que os episódios narrados pela imprensa, sempre com muita repercussão junto ao público, são fatos isolados. A grande maioria dos brasileiros – na verdade quase a totalidade – não muda a cor para se beneficiar dessa política. Por isso, quando tais fatos ocorrem, há forte reação negativa e essas pessoas tendem a ser duramente criticadas. Para isso contribui, além da rejeição a este tipo de prática, um grande consenso dos brasileiros sobre os critérios de classificação entre brancos, pardos e pretos.* Ou seja, na média os brasileiros concordam sobre a classificação que cada um faz de si. Em outras palavras, a grande maioria dos brasileiros concorda com a minha autodeclarada classificação como branco, assim como vai concordar com Pelé declarar-se negro.

*Isso já foi provado quando a PESB apresentou um cartão de fotos com oito pessoas com gradações de cores – entre branco e preto. As pessoas tiveram a mesma classificação em todo o país, independente de classe social ou região do Brasil.

A legitimidade da política de cotas no país

Há vários modos de medir a legitimidade da política de cotas em pesquisas de opinião. Um deles é perguntando diretamente se as pessoas apóiam ou não a iniciativa. O outro é indireto, comparando-se o apoio a este conceito de políticas quando voltado para negros e quando voltado para pobres. Na PESB, isso foi feito recorrendo-se, mais uma vez, à técnica da amostra dividida. Na Amostra 1, perguntava-se ao entrevistado se ele apoiaria determinados benefícios para os pobres:

1. Que o governo facilite as empresas a construírem fábricas em áreas pobres como forma de diminuir a pobreza;
2. Que o governo gaste mais dinheiro nas escolas localizadas nas áreas pobres como forma de diminuir a pobreza;
3. Que o governo dê bolsas de estudo para jovens pobres que tiram boas notas como forma de diminuir a pobreza.

Na Amostra 2, foi feita a mesma pergunta, mas apresentando-se o conceito de política de cotas para negros:

1. Que o governo facilite as empresas a construírem fábricas em áreas onde a maioria dos moradores é de negros;
2. Que o governo gaste mais dinheiro nas escolas localizadas nas áreas onde a maioria dos moradores é de negros;
3. Que o governo dê bolsas de estudo para jovens negros que tiram boas notas como forma de diminuir a pobreza.

Sabe-se que políticas mais universais, como as de combate à pobreza, tendem a ter maior apoio social do que outras mais restritas, como a melhora da situação social dos negros. Assim, um dos resultados esperados era de que o apoio à política de cotas fosse menor do que medidas de combate à pobreza. Exatamente o que ocorreu.

Tabela 3

Política de cotas *versus* política de redução da pobreza

	Fábricas		Escolas		Faculdades	
	negros	pobres	negros	pobres	negros	pobres
Totalmente a favor	62	71	54	86	75	91
Um pouco a favor	15	16	23	9	12	5
Nem contra nem a favor	1	0	1	0	1	0
Um pouco contra	5	4	8	2	3	1
Totalmente contra	14	8	10	1	7	1
NS/NR	3	2	3	1	2	1

A soma das respostas "a favor" mostra que, no caso de políticas de redução da pobreza, o menor apoio é 87% para a situação das fábricas. Esta proporção sobe para 96% quando se trata de escolas e faculdade. Ou seja, aproximadamente 90% da população brasileira aprovam medidas no gênero. O que explica por que no país qualquer governo que adote este tipo de medida recebe grande apoio neste sentido. O inverso também é verdadeiro. Não há condições para se criticar ações de redução da pobreza junto à opinião pública.

No entanto, e tal como esperado, é menor a aprovação social a uma política mais restritiva (cotas para os negros), embora ao analisar os percentuais seja possível perceber também um grande consenso (soma das respostas "a favor"): 77% são favoráveis à instalação de fábricas onde a maioria da população é negra, 77% apóiam a política de cotas aplicada às escolas e 87% para as faculdades. A diferença é de apenas 9 pontos percentuais a favor dos pobres quando se trata de fábrica e faculdade, subindo para 18 no que tange às escolas.

É interessante notar que o maior apoio, tanto no combate à pobreza quanto às cotas para negros, ocorre nas políticas universitárias. Isso sugere que a população considera o ensino superior um forte gerador de desigualdades e, por isso mesmo, uma grande oportunidade para diminuir a distância entre pobres e não-pobres, negros e não-negros.

O Brasil de 2002 é bem diferente dos Estados Unidos de 1990

As perguntas da PESB foram retiradas do General Social Survey (GSS), conduzido pela Universidade de Chicago (www.norc.uchicago.edu) em 1990. Os resultados foram bastante diferentes nos dois países. No Brasil, a aprovação média a ambos os tipos de política é maior do que nos Estados Unidos. Entre nós, a média das respostas para as três ações de combate à pobreza é de 93% "a favor"; para os americanos, 81%: uma distância de 12 pontos percentuais. Isso revela uma enorme diferença cultural. Nos Estados Unidos, cuja renda *per capita* é bem superior e a desigualdade de renda bem inferior do que entre nós, é mais forte a crença de que a pobreza é resultado de fatores individuais. No "país das oportunidades", em que a sociedade forneceria a todos condições para que vivam bem, os que não as aproveitam em seu benefício são responsáveis pela própria situação. O pobre americano seria pobre porque não se empenhou para sair da pobreza, não teve mérito, ou por alguma outra razão individual.

No Brasil, ao contrário, a extrema desigualdade e a percepção da falta de oportunidades tornam bem mais forte a mentalidade paternalista: o governo é o pai dos pobres e não pode abrir mão desse papel. Como a sociedade é uma grande barreira à melhora econômica, os pobres, como indivíduos, não seriam os responsáveis por sua situação. Assim, o Estado ou o governo teria que resgatar sua "dívida social".

Estados Unidos e Brasil também se distinguem na política de cotas. A média da soma dos percentuais dos que respondem "a favor" para os três itens é, no Brasil, de 81%, e nos Estados Unidos, 62%: uma diferença de praticamente 20 pontos percentuais (p.p.). Ou seja, nesse assunto, os dois países mostram-se ainda mais diferentes.

Tabela 4

Estados Unidos – política de cotas *versus* política de redução da pobreza

	Fábricas		Escolas		Faculdades	
	negros	pobres	negros	pobres	negros	pobres
Totalmente a favor	10	18	21	31	21	38
Um pouco a favor	35	49	48	53	50	52
Nem contra nem a favor	23	15	13	7	13	5
Um pouco contra	21	9	11	4	10	2
Totalmente contra	7	3	4	1	4	1
NS/NR	5	5	3	3	3	2

Fonte: General Social Survey (GSS)

Há, no entanto, uma semelhança importante entre os dois países. Nas duas modalidades de ação – contra a pobreza e a discriminação racial – a mais aceita é a que se refere à faculdade. Esse apoio cai um pouco quando se trata das escolas e cai bastante quanto à instalação de fábricas em regiões onde predominam pobres ou negros.

Para as autoridades brasileiras, isso indica que certos tipos de ação encontrarão maior resistência – as relacionadas a emprego – enquanto outras serão mais aceitas pela sociedade – as que se utilizam do ensino para gerar igualdade. Como os dados são para dois países de culturas diferentes, o resultado sugere que se trata de um padrão de variação de apoio universal. É a força da ideologia liberal: o fator de equalização das condições sociais é a educação. O resto cabe ao mérito individual.

Tabela 5

Comparação entre Brasil e Estados Unidos

	Negros – soma das respostas a favor			
	Fábricas	Escolas	Faculdades	Média
Brasil	77	78	87	81
Estados Unidos	44	69	71	62
	Pobres – soma das respostas a favor			
	Fábricas	Escolas	Faculdades	Média
Brasil	86	95	97	93
Estados Unidos	67	85	90	81
	Diferença favorável aos pobres			
	Fábricas	Escolas	Faculdades	Média
Brasil	9	18	9	12
Estados Unidos	23	15	19	19

Nos dois países, as iniciativas de combate à pobreza são mais bem aceitas do que as de redução da desigualdade racial. No Brasil, porém, esta diferença é menor (12 p.p.) do que nos Estados Unidos (19 p.p.). Quando se consideram apenas as fábricas e a faculdade, nota-se muita proximidade, no Brasil, entre negros e pobres: a diferença é de apenas 9 pontos percentuais. O mesmo não pode ser dito para os Estados Unidos. São nessas modalidades de ação que os americanos mais diferenciam negros e pobres.

De um modo geral, comparada à brasileira, a população norte-americana acha em maior proporção que os negros podem "se virar" para melhorar sua condição social. A diferença de mentalidade entre os dois países é maior no que concerne às políticas de cotas. O Brasil dos negros (média: 81%) é igual ao EUA dos pobres (média: 81%).

A verdade é que, pelo visto nos capítulos que tratam da questão do preconceito no país, não há como negar o que dizem os dados da Pesquisa Social Brasileira. Há discriminação no Brasil, e ela é voltada contra pardos e pretos. Para eles, a vida é bem mais difícil do que para os brancos. Em alguns casos, os pardos são ainda mais vítimas desse preconceito do que os pretos. Sob outros aspectos, os pretos estão em piores condições. De uma forma ou de outra, tudo isso quer dizer que, no Brasil, não há nada melhor do que ser homem e branco. Fato que muitos conhecem pela experiência. Pelos resultados de nossa pesquisa é também o que afirmam os próprios brasileiros. Aqueles que continuam insistindo que não existe racismo no Brasil, ou se há, ele é "suave" e "cordial", terão que encarar os dados apresentados neste livro. São os brasileiros que se declaram racistas. E não necessariamente cordiais.

conclusão

Roberto DaMatta está certo?

Até que ponto os brasileiros mostram, no cotidiano das relações interpessoais, valores compatíveis com a prática democrática? Como eles vêem as noções de igualdade, os princípios do universalismo e a obediência às leis? Há uma base cultural emergente para a democracia brasileira? E, sendo assim, que fatores influenciam a expansão ou erosão dessas bases?

Com as interpretações de Roberto DaMatta sobre a sociedade brasileira em mente, procuramos, neste livro, responder a essas perguntas. Se para nosso influente antropólogo, a natureza pouco liberal das interações sociais em nosso país em nada favorece a democracia política ou os valores igualitários, tentamos estabelecer até que ponto isso acontece, explorando alguns de seus conceitos centrais em nossa Pesquisa Social Brasileira. Abordamos diferentes aspectos da vida nacional, da sexualidade à corrupção, do recurso do jeitinho às punições ilegais, da idéia do Estado paternalista à prática do preconceito racial.

Nossa pesquisa mostrou que Roberto DaMatta está essencialmente correto. O Brasil é hierárquico, familista, patrimonialista e aprova tanto o "jeitinho" quanto um amplo leque de comportamentos similares. Porém, uma qualificação importante precisa ser feita. O país não é monolítico, é uma sociedade dividida entre o arcaico e o moderno.

Há críticas, e muitas, à contribuição de Roberto DaMatta à antropologia. A mais raivosa de todas é de Jessé de Souza no livro *O malandro e o protestante*. Mas, tal como diz o ditado que "cão que ladra não morde", ela é tão raivosa quanto inofensiva. Jessé simplesmente nega que DaMatta esteja correto sem apresentar evidência empírica alguma que sustente sua tese. Por exemplo, para Jessé, a corrupção que atingiu o ex-primeiro ministro alemão Helmut Kohl mostra que a corrupção não é exclusividade do Brasil. Concordamos com ele, porém, qual o nível de corrupção de Alemanha e Brasil? O escândalo que atingiu Kohl não se compara com escândalos que atingem inúmeras prefeituras pelo Brasil afora.

Ao contrário de Jessé, os resultados de nossa pesquisa fazem uma crítica moderada, mas consistente, à interpretação damattiana do Brasil. Parte dela diz respeito à idéia de mudança.

Se DaMatta estiver certo, a herança cultural portuguesa, com seu peso de 500 anos, leva o Brasil a ser culturalmente muito diferente dos Estados Unidos, em particular quanto a aspectos relevantes da vida social, como o respeito à lei. Assim, mesmo que a escolaridade dos brasileiros aumente muito, as mudanças de visão de mundo, culturais e ideológicas, resultantes seriam pequenas face ao legado ibérico. O Brasil continuaria bastante distinto de países anglo-saxões, como Estados Unidos e Inglaterra.

Caso as evidências empíricas da Pesquisa Social Brasileira estejam corretas, ocorrerá o oposto: um forte aumento da escolaridade em nosso país aproximará a cultura dos brasileiros de outras culturas, inclusive as dos países anglo-saxões. Para variar o exemplo, podemos afirmar que, após muitos anos de intenso esforço educacional, a população da Coréia do Sul está culturalmente mais próxima dos norte-americanos do que há 50 anos. Trata-se de uma crítica importante à contribuição de DaMatta.

Mas é uma crítica generosa porque – se estiver correta – coloca a obra de DaMatta em outro patamar: ele não estaria falando especificamente do Brasil, mas sim da cultura de qualquer sociedade cuja escolaridade geral é muito baixa. E se teria, neste caso, uma antropologia da escolaridade baixa *vis-à-vis* a da escolaridade alta. Estou afirmando, portanto, que o jeitinho brasileiro, com denominações específicas a cada país, existiria em qualquer nação em que a maior parte da população tenha pouco estudo. O inverso ocorreria nos Estados Unidos ou na Europa desenvolvida. Há jeitinho na Espanha tal como no Brasil? Não.

Não estou negando as especificidades nacionais, apenas enfatizando que culturas nacionais podem ser menos importantes do que as de grupos sociais transnacionais, unidos pela escolarização formal. A herança ibérica nunca será abolida do DNA da cultura brasileira, mas é possível tornar os brasileiros mais seguidores da lei por meio da educação formal. Portugal será sempre nossa pátria-mãe, mas para tornar o Brasil mais liberal na economia é preciso massificar, e muito, o ensino superior. História e herança não mudam, mas o nível de escolaridade traz alterações de conseqüências bastante profundas para qualquer sociedade. Entre elas, a consolidação da democracia.